D1513476

AU DELÀ
DES
VISAGES

ANDRÉ GIROUX

AU DELÀ
DES
VISAGES

roman précédé d'une chronologie,
d'une bibliographie et de jugements critiques

BIBLIOTHÈQUE CANADIENNE-FRANÇAISE
FIDES ■ 245 est, bd Dorchester ■ MONTRÉAL

Numéro de la fiche de catalogue
de la Centrale des Bibliothèques — CB : 77-345

ISBN : 0-7755-0172-7

CHRONOLOGIE

1916   A Québec, le 10 décembre, naissance d'André Giroux, fils de Théophile Giroux et de Héloise Devillers.
Etudes secondaires à l'Académie de Québec.

1936   Secrétaire au Secrétariat de la Province.

1940   Fonde la revue *Regards* et en assume la direction durant deux ans.

1945   Publiciste au Ministère de l'Industrie et du Commerce, à Québec.

1948   Publie *Au delà des visages* (Prix Montyon de l'Académie française, 1949; Prix de la Province de Québec, 1950).

1950-1952   Rédige 125 sketches pour le programme radiophonique « Trois de Québec » (Socié-té Radio-Canada).

1952   Boursier de la « John Simon Guggenheim Memorial Foundation », de New-York.

1953   Publie *le Gouffre a toujours soif.*

1954-1957   Ecrit pour la télévision canadienne d'ex-

	pression française un téléroman hebdomadaire, *14, rue de Galais.*
1955	*L'Avocat de la défense,* film de l'Office National du Film, est tiré d'*Au delà des visages.*
1957	Boursier du Conseil des Arts du Canada. Séjour d'un an en France. Etudes portant sur le roman, le théâtre et la télévision.
1958	Publie un recueil de nouvelles, *Malgré tout, la joie !* Est élu membre de la Société Royale du Canada.
1959-1963	Secrétaire au Ministère de l'Industrie et du Commerce, à Québec.
1960	*Malgré tout, la joie !* obtient le Prix du Gouverneur Général du Canada.
1963-1966	Directeur de l'Information puis Conseiller à l'Education, à la Délégation générale du Gouvernement du Québec, à Paris.
1966-1969	Directeur général de la diffusion de la culture au Ministère des Affaires culturelles du Québec.
1969-1971	Sous-ministre adjoint au Ministère des Affaires culturelles.
1971-	Adjoint spécial de l'Honorable Jean Marchand, ministre des Transports du Canada.

BIBLIOGRAPHIE

I. OUVRAGES

Au delà des visages. Montréal, Editions Variétés, 1948,
173 p. 19.5 cm.
   Autre édition:
      Montréal, Fides, 1966. 153 p. 16.5 cm. (Coll.
      Bibliothèque canadienne-française).
Le Gouffre a toujours soif. Québec, L'Institut littéraire
du Québec, 1953. 176 p.
   Autre édition:
      Montréal, Fides, 1967. 188 p. 16.5 cm. (Coll.
      Bibliothèque canadienne-française).
Malgré tout, la joie ! Québec, L'Institut littéraire du
Québec, 1959.

II. ÉTUDES

LOCKQUELL, Clément, *André Giroux, romancier spiritualiste*, dans *la Revue Dominicaine*, octobre 1948,
pp. 151-161.

LÉGARÉ, Romain, *Trois récents romans canadiens-français*, dans *Culture*, tome X, 1949, pp. 3-12.

LAFLEUR, Bruno, *André Langevin, André Giroux, Eugène Cloutier, trois jeunes romanciers canadiens*, dans *la Revue de l'Université Laval*, février 1954, pp. 530-541.

LA TOUR FONDUE, Geneviève de, *André Giroux*, dans *Lectures*, avril 1954, pp. 337-344.

PLANTE, Jean-Paul, *Le thème de mesquinerie dans l'œuvre d'André Giroux*, et *Entretien avec André Giroux*, dans *la Revue de l'Université d'Ottawa*, oct.-déc. 1962, pp. 411-430.

JUGEMENTS CRITIQUES

« L'action, réduite en schéma, paraîtra vulgaire, et même de l'ordre du roman policier. Un homme, après une nuit passée dans une chambre d'hôtel, a tué sa complice. Cela est bien banal. Mais justement, cela n'est que la trame nécessaire au va-et-vient grâce auquel l'écheveau des interprétations de l'auteur brodera un commentaire nuancé de cette action qui exige non seulement une philosophie de la vie, mais aussi une théologie des passions humaines.

L'originalité de l'œuvre de M. André Giroux est double: d'abord, elle est exégèse spiritualiste d'un fait passionnel, une acceptation catholique de ses motifs et de sa valeur morale. Quant à la forme littéraire, le roman présente ce mérite d'être une mise en scène nouvelle d'un drame vieux comme le monde et actuel comme la vie: le duel entre la curiosité de la chair et la soif d'intégrité de l'esprit. »

[...] « cette œuvre possède assez de mérites pour être classée parmi les romans qui appellent une deuxième lecture. Il y a peu de livres, chez nous, dont on puisse en dire autant. C'est que M. Giroux ne s'est pas contenté d'exercer son don d'observation des choses extérieures — son regard se révèle impitoyablement dru dans la peinture des mœurs —: il s'est surtout appliqué à pénétrer au delà des gestes et des paroles. »

« Dans beaucoup de ces pages, il nous semble que M. Giroux écrit son journal intime. Les témoins les plus hauts en couleurs sont incontestablement ceux qui censurent les intentions qu'ils ne cherchent pas à comprendre. Les spectateurs sympathiques du drame intérieur de Jacques Langlet, sont plus attachants, mais leur différenciation est moins nette. »

[...] « M. Giroux a voulu imposer une présence non pas tant par la description sensible et la peinture morale directes, mais par une convergence de réactions psychologiques de témoins divers, plus ou moins apparentés au héros. Cette présence, c'est malgré tout, moins celle de Jacques Langlet que celle d'une réalité spirituelle: la pureté de l'esprit et du cœur.

Le genre adopté par M. Giroux est hérissé de difficultés. D'abord, il y a peu de modèle de ce que j'appellerai avec pédanterie la triangulation psychologique. Cette pluralité doit s'achever en une unité assez stricte pour qu'un facteur commun soit discernable, pour que le lecteur perçoive que les lignes construisent bien la figure prévue. Ce qu'il faut retenir, c'est que l'auteur a rendu sensible la présence de son héros, qu'il a unifié le faisceau des lumières des divers témoins. Il y a simplement à déplorer que quelques projecteurs jouent un peu en marge du cercle des autres. Mais il faut féliciter M. Giroux de s'être attaqué à une nouvelle forme d'art du roman. »

« Il y a, dans ce roman, une surprenante intelligence du sens du péché. Celui de la grâce semble, hélas ! moins aigu. »

« *Au delà des visages* est sobre, non pas qu'il soit court de souffle mais parce qu'il ne dit ordinairement que l'essentiel. Sa minceur est de l'élégance et non de l'impuissance. Le ramassé de ses annotations est presque classique de discrétion et d'ordonnance. Sa langue est simple et bien calquée sur les caractères qu'elle doit successivement traduire. M. Giroux ne s'est pas assigné une tâche identique à celle des romanciers communément classés « observateurs »: il a apparemment voulu introduire jusqu'à une vie intérieure. Alors, il n'avait que faire d'une palette extravagante. Il a préféré les gris bleus pour ses peintures d'âmes, et les couleurs primaires pour ses satires occasionnelles. Et la plupart de ses touches sont sûres. Il importe moins ensuite que les grammairiens et les pions de la littérature académique discernent d'inévitables scories, certaines imprécisions dans les pensées secondaires, et quelques lâchetés de style. »

Clément Lockquell, Revue Dominicaine,
octobre 1948.

●

« Par son premier roman, *Au delà des visages,* M. André Giroux s'est classé d'emblée parmi les meilleurs romanciers actuels du Canada français. Analyse clairvoyante du cœur humain exprimée dans un style pur, élégant, varié, technique neuve et intéressante, appliquée avec beaucoup d'habileté, telles sont les principales qualités de cette œuvre romanesque. »

« Grâce à un jeu habile d'éclairage à deux projecteurs, les personnages se révèlent eux-mêmes tout en révélant l'âme et la vie de Jacques Langlet. Pendant qu'un projecteur dévoile les mobiles secrets des personnages qui défilent à tour de rôle; mobiles égoïstes qui les condamnent eux-mêmes et ainsi, par contraste, exonèrent le meurtrier, ou mobiles nobles, sympathiques qui empêchent de les censurer, l'autre projecteur révèle peu à peu sur l'écran les faits de la vie de Langlet, les traits de son caractère. De tous ces faisceaux lumineux surgit une physionomie, voire une présence attirante. Ce procédé, peu facile, donne un bel effet: les successives révélations forment la trame de l'intrigue et font désirer la pleine lumière du dénouement. »

« Pour rompre l'écueil du genre, la monotonie, le romancier fait appel à toutes les ressources du style, d'un style souple qui se plie à la qualité du sujet: tantôt il use du récit narratif, tantôt du dialogue, du monologue, du pastiche d'un article de journal ou encore de la lettre. Le chapitre IX, *L'avocat et sa femme,* est peut-être le meilleur de tous: abondance de vie, variété de genres, clairvoyance de l'évolution psychologique d'une âme. Le roman manifeste parfois une rédaction trop soignée: on dirait des exercices de style, telles les pages sur les fonctionnaires. »

« *Au delà des visages* repose donc sur une hypothèse invraisemblable. Cette grave lacune est due peut-être à l'application trop rigoureuse de la technique, à la recherche d'un cas exceptionnel, à l'insuffisance théologique; elle montre du moins que l'harmonie entre l'homme et l'écrivain n'est pas encore parfaite: la vérité de quelques aspects humains et chrétiens a été sacrifiée à des effets romanesques. Mais cette première œuvre est loin d'être négligeable. »

Romain Légaré, *Culture,* tome X, 1949.

« Le vrai sujet d'*Au delà des visages* est le récit, d'ailleurs très pittoresque et fort bien venu, des réactions de la société en présence d'un mystère qui dépasse l'entendement: en l'occurrence, un garçon qui étrangle la femme avec laquelle il vient de perdre sa pureté. Le fait brutal, c'est-à-dire le meurtre, est posé comme point de départ, ou, pour employer un autre langage, comme donnée. André Giroux part de là pour construire son roman. Pourquoi exactement Jacques Langlet a-t-il tué ? Nous ne le savons pas. Un religieux apporte bien, à la fin du livre, et pour l'usage de la mère, une opinion théologique sur le crime, opinion tendant à démontrer que le jeune homme n'est peut-être pas aussi coupable, aux yeux de Dieu, qu'il peut l'être aux yeux des hommes, mais il manquera toujours une version, et c'est celle de l'intéressé lui-même. »

« Le tragique de la situation est trop forcé, pour le parti qu'en tire le jeune romancier dans sa satire sociale. Le crime qu'il a inventé devient comme un acte gratuit à rebours dont il avait besoin pour exposer ses théories psychomystiques, et même si ce mélodrame a fait le succès du roman, il n'en demeure pas moins sa faiblesse essentielle. »

Bruno Lafleur, *La Revue de l'Université Laval,* février 1954.

« En ouvrant *Au delà des visages* nous apprenons qu'un jeune homme de bonne famille, Jacques Langlet, projeté dans une aventure charnelle, a assassiné la femme qui en a été la comparse, dans un mouvement d'irrésistible dégoût. Qui est Jacques Langlet, cet être emmuré dans sa solitude intérieure et inapte au bonheur ? C'est à travers les propos de son entourage que nous allons dépecer sa vie, son comportement, son cœur jusqu'à toucher le point névralgique de son âme. L'ami Jean Sicotte, Marie-Eve, le père Brillart rejoindront, à travers les errements de tous les autres, un Jacques Langlet assoiffé de justice, de pureté et d'amour et qui a tué dans un geste d'intégrité absolue. De lui, si totalement présent, si complètement absent de visage et de voix, nous emportons une image à la fois désincarnée et irriguée de chair et de sang et l'intense irradiation d'un être spirituel qui, dans un instant de vertige, a connu le paroxysme du bien et du mal. »

« C'est aussi comme une sorte de montée collective des voix de la conscience dont l'orchestration ne laisse pas d'être impressionnante. »

« Le propre du style de Giroux est justement de fuir la recherche, l'apparat, la fausse somptuosité. Avec des mots très simples, des mots de tous les jours, il construit des images saisissantes [...].

L'art d'André Giroux est véritablement de nous prendre par la main et de nous entraîner, à sa suite, dans la solitude de la nuit, dans ce gouffre étrange, où s'agitent et tourbillonnent ses créatures romanesques enivrées ou aveuglées par l'appel de la lumière. »

Geneviève de la Tour Fondue, *Lectures*, avril 1954.

●

« Peut-être bat-on la grosse caisse un peu fort, à propos du roman d'André Giroux: *Au delà des visages*. Il est vrai que l'ouvrage n'est pas quelconque. Comme premier essai dans un genre difficile, il constitue une réussite qui retient l'attention. S'il a ses bons points, il a ses faiblesses. Il se lit d'un trait, ce à quoi invite son texte ramassé, réduit au minimum, et la concision voulue par l'auteur. D'abord, l'ouvrage est-il un roman ? On serait tenté de l'apparenter à une longue nouvelle, à laquelle le romancier n'a pas pris la peine de donner la longueur, la forme et l'analyse en profondeur d'un roman. Le livre tient aussi de l'essai, philosophique et psychologique, et il rebutera sous cet angle le lecteur moyen, mal préparé à le recevoir. »

« Vu ses tendances à l'essai, l'ouvrage n'offre

pas d'intrigue qui aguiche la curiosité, tient le lecteur en haleine, suscite son intérêt et le porte à lire plus avant, pour connaître le dénouement d'un drame. D'autre part, il est écrit dans une langue remarquable. Si l'on est très exigeant, on décèle çà et là des négligences, une ponctuation distraite, mais l'ensemble l'emporte sur la production courante. »

« Nous sommes en plein drame mauriacien, et l'on admettra que l'explication du crime est d'une subtilité grande. Elle est même telle qu'elle ne saurait inciter à d'autres conclusions du genre, sans quoi elle serait extrêmement mauvaise. Les criminels de la qualité de Jacques Langlet se trouvent rarement dans les pénitenciers. Le personnage reste étrange, énigmatique, victime d'un subconscient que ne révèle aucun éclairage définitif. »

L'Illettré, *Le Droit*, 29 novembre 1948.

●

« Le premier livre de M. André Giroux *Au delà des visages*, [...] apporte un élément nouveau dans notre littérature. Il est le premier à exploiter la collaboration entre le lecteur et les personnages pour faire connaître le héros et son drame. Si M. Giroux n'a pas réussi parfaitement à maîtriser cet aspect psychologique, jusqu'aujourd'hui vierge dans le roman canadien, par contre il a brossé un tableau typique et parfois cruel de réalisme des réactions que peut provoquer dans une ville provinciale un meurtre, à première vue passionnel, commis par un jeune homme de la bonne société. »

« Ecrit dans un style sobre et juste, qui ne manque pas non plus d'élégance, *Au delà des visages* révèle en M. André Giroux un écrivain de talent qui, s'il n'a pas donné un chef-d'œuvre du premier coup, a écrit un ouvrage intéressant et surtout ouvert un champ nouveau à notre littérature. »

Jean Luce, *La Presse*, 23 octobre 1948.

●

« L'affabulation est ingénieuse, chacun des quinze chapitres constituant les pièces essentielles d'une charpente admirablement équilibrée. L'un à la suite de l'autre ils présentent le drame de Jacques Langlet et ses répercussions sur la société québécoise de la façon la plus propre à susciter le plaisir et même l'avidité de lire. Comme roman ou plutôt comme grande nouvelle, cela est très réussi. »

Guy Jasmin, *Le Canada*, 30 octobre 1948.

●

« Il y a la technique. On a loué cette technique au plus haut point parce que nouvelle. Elle est nouvelle au pays de Québec, c'est vrai; mais je la trouve pourtant bien exploitée dans les romans policiers de Erle Stanley Gardner et dans le roman qui date déjà de Jean-Louis Bory: *Mon village à l'heure allemande*. Cette technique a présenté des pièges à Bory: elle fait tomber M. Giroux dans le morcellement cinématique et facile où l'unité cherche couci-couça sa rigueur. »

« La satire de M. Giroux est d'une vigueur incontestable. C'est avec une sorte d'allégresse que l'auteur soulève les masques, regarde au delà des visages, ironise et pastiche. »

« J'admire malgré ses négligences, ce premier ouvrage qui sort tellement des sentiers battus et par son expression et par sa psychologie qui n'est pas mince, par certains accents cachés de belle angoisse chrétienne, par l'idéalisme qui mord à travers la satire. »

Emile Bégin, *L'Enseignement secondaire au Canada,* janvier-février, 1949.

I

Le Journal du Matin

« Non ! mais quel succès ! A peine neuf heures, et plus un seul exemplaire sur les comptoirs ! Aussi, n'est-ce pas tous les jours que je sers un plat si substantiel à mes clients. Ce matin, ils en ont vraiment pour leur argent, à ce qu'il paraît.

« Si quelqu'un pouvait me lire à haute voix, moi aussi j'apprendrais le fin mot de cette nouvelle qui retient toutes les attentions et crée une telle effervescence. Si l'on m'arrêtait devant une glace... Mais non ! où ai-je la tête ? Voici ma chance ! Ce fonctionnaire qui lorgne une jeune fille me détaillera sûrement à ses compagnons, dès son arrivée au bureau, puisque cette semaine c'est à son tour d'acheter le journal. Je connais les habitudes des fonctionnaires, moi. Leur vie a quelque chose de chronométré, leurs gestes sont quotidiens. D'abord, ils embrassent leur femme, puis ils se rasent ou se poudrent selon que leur barbe date de l'avant-veille ou de la veille et selon que le poil est brun ou blond; ensuite, ils s'habillent à la hâte, mangent rapidement une omelette, avalent une tasse de café et boutonnent leur paletot tout en courant après l'autobus qu'ils ratent généralement. Ils rouspètent en attendant le suivant et acceptent, mal résignés, d'arriver en retard au travail. Une fois assis, ils saluent des connaissances, bénissent ou maudissent le temps qu'il fait et cèdent leur place aux femmes encore fraîches. Au bureau, quelques-uns se peignent, d'autres se brossent et tous s'assoient confortablement, qui pour me lire, qui pour écouter la lecture des nouvelles. Mêmes rites tous les jours.

« Neuf heures, dans la vie des fonctionnaires, moment sacré ! N'allez pas leur demander d'attaquer le travail sans avoir lu la vie héroïque de Tarzan et la page du sport. Il y a aussi la page de la finance que j'oubliais, obsession des naïfs qui ont risqué cinquante dollars dans les compagnies minières. Quant à la chronique judiciaire, je n'en parle pas, elle rallie tous les suffrages.

« Mais ce matin, ils fondront unanimement sur la grosse nouvelle qui s'étale sur ma première page. Ils n'en liront pas seulement le titre, il ne s'agit pas de politique internationale, voyons ! J'ai la certitude qu'ils la liront de la première majuscule au point final, cette nouvelle, et avidement encore, et qu'ils en rumineront même certains passages. Si mon pronostic n'est pas exact, eh bien ! j'avouerai ne pas connaître les fonctionnaires, moi qui suis partie importante de leur nourriture intellectuelle.

« Me suis-je trompé ? Regardez-les ! Voyez-les qui me dévorent littéralement ! Braves fonctionnaires ! On jurerait que je les ai mis au monde ! Si je les connais ! Je pénètre leurs pensées les plus secrètes. Je les vois, parfois, fermer les poings en cachette.

Je puis vous dévoiler leurs opinions politiques et répéter leurs exclamations, heureuses ou dépitées, les lendemains d'élections. Mais je ne révélerai rien, car ils me sont fidèles depuis trop longtemps. Pensez ! Je suis peut-être leur seule fidélité ! Alors, croyez-moi, vous ne me tirerez pas les vers du nez. Je vous confiais que je les sais par cœur, je vous l'ai prouvé, cela me suffit. Entendez-les, plutôt !»

— Ah ! C'est épouvantable ! Je ne peux pas croire que c'est lui !

— Mais qu'est-ce qu'il a fait au juste ?

— Tu ne le sais pas ? Il a tué une femme, la nuit dernière, à l'hôtel Cartier. La police se perd en conjectures sur les mobiles du meurtre, qu'ils disent. Pas d'alcool et pas d'arme, à ce qu'il paraît.

— Alors, il l'a étranglée ?

— Je crois que oui.

— Mais êtes-vous bien sûrs que c'est de lui qu'il s'agit ?

— Comment, sûrs ? Certain que c'est lui ! Tiens, regarde: son nom, son âge, sa photo et puis, on indique qu'il travaillait ici. Il s'agit bien de lui.

— Pauvre diable ! C'est affreux ! Ce n'est presque pas croyable ! Qu'est-ce qu'il va devenir ?

— Si on pouvait l'aider, hein ! les gars !

« Il est poignant le murmure qui s'élève, dans les bureaux, de toutes les bouches et de quelques cœurs. Je soupçonnais bien que certains camarades entretenaient de l'estime pour ce Langlet, mais jamais je n'aurais cru qu'on pouvait s'intéresser à lui jusque-là. »

* * *

Ils ne travaillent pas, ce matin, les fonctionnaires. Ils sont émus, peinés, bouleversés, ils ont l'âme toute chavirée par le grand drame où sombre, comme dans une eau noire, le cœur de leur confrère. Ils ne travaillent pas, ce matin.

Ils sont tristes, ce matin, les fonctionnaires. Ils pensent à ce jeune homme brusquement retranché de leur vie, arraché à leurs habitudes. Ils ressassent les petites joies et les petites misères qu'ils ont partagées avec lui.

Qui sont leur lot commun. Presque leurs secrets. Ils prévoient, avec amertume, que le public va encore rigoler sur leur compte, ce public qui ne sait pas et qui ne saura jamais toutes les vertus que possèdent les serviteurs de l'Etat. Ce public qui, depuis toujours, va répétant à leur endroit les mêmes blagues faciles et stupides. Ils sont tristes, ce matin.

Ils souffrent, ce matin, les fonctionnaires, d'un déshonneur qui les éclabousse alors que, injustice criante, jamais les honneurs ne rejaillissent sur eux. Ils pensent que la vie est bien bête et qu'il est inadmissible qu'une telle tragédie les frappe, eux qui ont accepté des existences sans surprise. Et ils voudraient tellement défendre un meurtrier qui, à leurs cœurs, prend figure de victime. Victime d'une certaine condition humaine, peut-être... Ou d'un besoin fou d'évasion hors d'une réalité quotidiennement fade... Sans se l'avouer, ils ont un peu l'impression de comprendre. Ils songent à tout cela et ils souffrent, ce matin, les fonctionnaires.

Jusqu'au soir, ils s'entretiendront du meurtre et du meurtrier. Ils s'imagineront évidemment être les seuls à pouvoir en parler alors que toute la ville commente, juge, pardonne ou condamne.

II

Monsieur Laberge

Je ne peux pas croire que ce soit vrai !
Mais, il faut bien que je l'admette, puisque
c'est écrit dans le journal et qu'on y trouve
une profusion de détails. Et puis, tout le
monde en parle. Donc, c'est vrai ! Autrement,
non, je ne pourrais pas. Aucun doute, c'est
bien lui Jacques Langlet. Mais qu'est-ce qui
lui a passé par la tête, grand Dieu ?

Je me souviens lorsqu'il a commencé de
travailler ici. J'ai été son premier patron. Il
avait à peine dix-huit ans et son père, em-
pêtré dans de mauvaises affaires, avait réussi
à le caser dans mon bureau. Un bien drôle
de bonhomme, ce Jacques, original, compli-

qué, plutôt morose, et qui ne se livrait pas beaucoup. Lorsque des camarades racontaient des histoires grivoises, il faisait mine de ne pas entendre. Mais il saisissait bien les stupides équivoques puisqu'il rougissait spontanément. C'est vrai qu'elles étaient pas mal épicées leurs histoires.

Langlet ? Non ! je ne l'ai jamais compris... J'aurais dû essayer: peut-être aurais-je pu l'aider... Trop tard, maintenant ! Quand je pense que j'ai vécu quatre ans avec lui et que jamais la moindre intimité ne s'est établie entre nous ! Ah ! Et puis, il n'était pas liant, le pauvre !

Il n'aimait pas son travail, mais s'en acquittait consciencieusement. Il m'a confié, une fois: « Ce n'était pas mon rêve de devenir fonctionnaire ! » Je suis sûr qu'il souffrait de l'atmosphère d'ici. On s'y habitue pourtant à la longue... Mais lui ne s'y est jamais résigné. Il a eu tort.

Et puis, pas facile son caractère, plutôt violent. Je l'ai vu blêmir, quelquefois, en serrant les mâchoires. Il a dû perdre la tête !

C'est d'ailleurs la seule explication que je pourrais fournir de son geste, car il n'était pas un malfaiteur, ce garçon, loin de là ! Je n'aurais jamais cru qu'il fréquentât les femmes... du moins, pas celles-là. On peut bien dire qu'on ne sait jamais à qui on a affaire. Il est vrai que je ne le voyais plus guère depuis sa promotion.

Non ! Mais ça fait drôle, tout de même, de penser qu'on a vécu des années avec, à ses côtés, quelqu'un qui un jour serait un meurtrier. C'est ma femme qui va être surprise ! Je vais lui téléphoner. Ah ! Henri est toujours à l'appareil. Evidemment, cette nouvelle énerve tout le monde. Ma femme ne l'a jamais aimé. Elle le trouvait fendant. Il faut bien admettre qu'elles ont tout de même de l'intuition, les femmes. Fendant ? Oui, mais pas avec moi. Je n'ai jamais eu à me plaindre de lui, nous nous sommes toujours bien entendus. Et je me demande si, au fond, ses airs de grand seigneur, il ne les prenait pas un peu pour se défendre contre les gens, peut-être même contre la vie qui n'a pas été tendre pour lui. Ou encore pour masquer ses sentiments, car il en avait la pudeur. Voilà que je fais de la philosophie, maintenant !

Je me souviens qu'un jour Langlet m'avait déclaré, après une discussion au cours de laquelle il avait bafoué mon adjoint: « Vous savez, patron, j'ai été dur, mais ce type-là voulait se payer ma tête, alors, je l'ai écrasé. Il ne m'aura pas eu ! » Cette peur bleue d'être ridiculisé, c'est bien une preuve de sa timidité.

Je ne pourrais pas affirmer que ses camarades l'aimaient, mais ils le respectaient. Jacques les dominait par un je ne sais quoi, peut-être par sa distinction ou par cette façon qu'il avait de s'évader de notre monde. Il me faut bien reconnaître que peu de choses l'apparentaient aux autres. Je ne le leur dirais pas, mais c'est tout de même exact. D'ailleurs, ils ont dû s'en apercevoir, s'ils ne sont pas stupides. Non, mais je le défends !

Et puis, après tout, pourquoi n'aurais-je pas de la sympathie pour lui ? Le fait qu'il tranchait sur les autres, qu'il semblait dépaysé ici, ne prouve rien contre lui ! Un type étrange... Les employés craignaient ses sarcasmes et sa façon de se jeter tête baissée dans une discussion. Parce que, dans une discussion, il était fort. Et tellement persuasif ! J'assisterai au procès pour l'entendre. S'il parle, je parie qu'ils l'acquitteront.

Si l'on me questionnait à son sujet, je serais fort embarrassé pour répondre quoi que ce soit. Il paraissait un homme ordinaire: il ne l'était pas. J'avais tout de même remarqué une chose: il lisait des livres bien étranges, des histoires morbides, des romans noirs. Je me souviens d'un titre en particulier: *Mort, où est ta gloire ?* ou quelque chose du genre. C'est fou de lire de tels livres. Ce n'est peut-être pas immoral, mais c'est démoralisant. Et la vie est déjà assez triste sans qu'on fasse exprès pour l'assombrir par-dessus le marché. Ah ! et puis, les gens moroses ennuient tout le monde. Surtout dans les soirées. Je le lui avais souligné, un jour, et il avait ri de ce petit rire qui m'a toujours décontenancé. Cette manie d'avoir toujours le nez fourré dans les livres: ce n'est pas là qu'on trouve la vraie vie ! Moi, depuis l'université, je n'ai pas lu trente livres et je ne m'en porte pas plus mal. Et je puis me vanter d'avoir réussi dans la société aussi bien que n'importe quel rat de bibliothèque.

Je voudrais bien savoir ce que les jeunes filles du bureau d'à côté disent de tout cela. Elles se plaisaient en la compagnie de Jacques. D'ailleurs, il ne causait volontiers qu'avec elles. Je vais aller les voir. J'appellerai ma femme ensuite. Je pense surtout à la petite brune. J'ai toujours cru m'apercevoir qu'il ne lui déplaisait pas. Mais elle ne se trahira pas, maintenant. C'est prudent.

Dois-je signer son chèque de la prochaine quinzaine ? A quoi bon ! Ils vont sûrement le flanquer à la porte, surtout à la veille des élections ! A cause du scandale. Comme c'est embêtant cette histoire-là: toute ma comptabilité va être détraquée.

Il en arrive des choses de nos jours... Des événements qu'on ne peut pas prévoir... Je suis devenu tout drôle. Je ne me reconnais pas... Oh ! oui ! ma femme !

III

Monsieur Giguère

Ah bien ! elle est bonne celle-là ! Elle est formidable ! Elle est inouïe ! Ça dépasse tout ce que je pouvais imaginer ! Je n'en reviens pas encore ! Inouï est bien le mot ! Surtout quand je pense que ce petit hypocrite-là m'avait reproché, à moi, d'avoir une maîtresse ! Et la sienne, son histoire, elle n'est pas sale, non ? D'ailleurs, ces tartufes-là ne m'ont jamais inspiré confiance. Ils cachent leur jeu pendant des années, et puis, le jeu se découvre et on les aperçoit tels qu'ils sont. Tant de cynisme me renverse !

C'est vrai, j'ai une amie. Je l'avoue, je le proclame même parce que c'est un sentiment véritable que j'éprouve pour cette personne très bien, très digne, et qui m'aime pour moi, pour mon esprit, pour mon intelligence, qui admire mes qualités, mon talent, je dirais même mon génie, parce que j'en ai. Elle met d'ailleurs dans son amour un je ne sais quoi de surnaturel qui m'émeut. Quant à moi, c'est la jeunesse éternelle, c'est la création tout entière que je vénère en elle et dans laquelle, en quelque sorte, je me perds avec délices. Pourquoi rougirais-je d'un tel aveu? L'histoire ne montre-t-elle pas que tous les grands hommes ont possédé des âmes-sœurs et des consolatrices ? Napoléon et Mussolini sont des exemples frappants de cette rançon que nous devons payer à la gloire. Rançon pas tellement désagréable, au fond ! Quel que soit son âge, le génie a besoin d'une oasis de fraîcheur et de détente. Mais allez donc expliquer une telle philosophie de la vie aux petites gens, aux bigots, à tous ceux qui envient votre personnalité et qui sont jaloux de vos succès. L'Eglise aussi manque de compréhension à ce sujet. N'est-elle pas inhumaine ? Elle devrait admettre les différences des hommes et tempérer un peu ses rigueurs car, enfin, toute règle trop générale comporte des exceptions !

Ah ! ce jour où Langlet avait découvert l'existence de cette femme dans ma vie ! Une malencontreuse et bête distraction de ma part lui avait permis d'apprendre mon secret. Maudite négligence, l'ai-je assez regrettée ! Un peu plus tard, et parce que je suis prudent, je lui avais parlé à mots couverts, de cette femme, de cet amour. Ça n'aurait pas été mauvais du tout d'amadouer sa réserve d'Eliacin prolongé et de le gagner à ma cause. On ne sait jamais ! Mon plan était tout tracé : s'il acceptait les compensations de la vie, j'organisais une petite fête champêtre, à quatre, et nous bouffions tranquillement sur l'herbe. Et puis... J'avais d'ailleurs en vue une petite femme extraordinaire, épatante pour lui. Une jeune fille dégourdie et qui n'a pas froid aux yeux. Elle aurait vite vaincu ses préjugés idiots. Mais monsieur, tout offusqué, avait rejeté ma proposition. Il prétendait vouloir garder son corps et son esprit intacts pour la femme avec qui il traverserait la vie. Il m'avait cité Alain Fournier. Des mots ! Rien que des mots ! Et l'air de vierge offensée qu'il avait pris pour m'opposer son refus ! Et la leçon qu'il s'était permis de me servir ! Quand j'y pense, j'enrage ! Quel farceur ! Quel être ignoble !

Je le revois encore, le moraliste. Il était là, devant moi, ses mains tremblaient et son regard me fixait si tragiquement que j'avais été bouleversé pendant quelques minutes. Il avait évoqué ma femme qui, par amour pour moi, précisait-il, avait accepté de souffrir puisqu'elle m'a donné quatre fils. Il m'avait vanté sa fidélité d'épouse. Comme si c'était la même chose pour les femmes que pour nous !

J'ai tenté l'impossible pour vaincre les préjugés de Langlet. Je me suis fait tour à tour violent, insinuant, humble. J'ai larmoyé devant lui et je me souviens que, bon comédien, j'avais fini par me prendre à mon propre jeu. Peine perdue ! Rien n'a réussi. J'ai choisi des jours que j'appellerais psychologiques: des jours de mai où une vie nouvelle énerve les corps, des jours de septembre où tout porte à la douceur, à l'abandon, et mon Dieu ! aussi bien le dire, à la sensualité. Sans succès ! Il était intraitable. Je m'en rends compte maintenant: il n'y avait aucune humanité dans ce garçon-là. Autrement, il aurait compris. Mais non ! Toujours sa petite ritournelle sur la fidélité et sur la promesse jurée au pied des autels.

La promesse jurée au pied des autels... Oui ! C'était un beau jour... Je croyais alors à quelque chose de définitif. Ç'aurait pu l'être... Mais est-ce ma faute, après tout, si ma femme n'exerce plus aucun attrait sur moi ? Est-ce ma faute si elle n'éveille plus le désir en moi ? Et suis-je responsable si mes qualités de cœur et d'esprit, sans parler de mon physique, ont bouleversé l'âme d'une jeune fille très pure et qui m'a tout donné dans un élan d'amour toujours vivace ? Quand je pense que cette petite crapule, aujourd'hui dans la boue, se permettait de me reprocher ma conduite ! Comme s'il n'y avait pas moyen de concilier sa conscience et l'amour ! Comme si l'amour vrai, l'amour pur, l'amour qui sait, au delà des corps, saisir les reflets de l'âme, était un péché !

La vie nous accorde tout de même de belles revanches, à nous qui savons tout mesurer, jusqu'à l'expression même de nos passions ! A nous qui savons agir pour que nos actes ne nous suivent pas. A nous qui ne laissons ni la trace de nos pas, ni la trace de nos mains, ni la trace de notre corps. Aucune trace visible. Parce que là, tout de même, aucun risque à courir.

Une chose me tracasse, tout de même. Langlet ne m'avait-il pas affirmé, un jour, que Claire, infidèle, ne m'accordait ses faveurs qu'en considération de mon influence et de ma situation ? Je me souviens, il a empoisonné mon existence ce soir-là. Je me demande même parfois si... Mais non, c'est impossible ! Elle n'agirait pas de la sorte avec moi. Elle est trop honnête ! En tout cas, je serais curieux de connaître ce qu'elle valait la femme avec qui il s'amusait, lui, la nuit dernière, le salaud !

Sans doute, serai-je appelé à témoigner au procès. Qui me demandera ? La poursuite ou la défense ? Traqué comme il l'est, monsieur Langlet réclamera sûrement mon intervention pour l'arracher à son sort. Eh bien ! monsieur Langlet, voici le temps du règlement de comptes. Et je suis assez habile pour me tirer de cette situation avec tous les honneurs de la guerre. Vous m'avez reproché, un jour, de multiplier les courbettes devant les puissants. Je vais vous prouver que je suis souple, et bien plus que vous ne le croyez. Mon témoignage terminé, on vantera mon bon cœur, ma charité et ma grandeur d'âme et, par contre, on sera persuadé que vous êtes un être vil, un fieffé hypocrite et que la situation dans laquelle vous vous débattez aujourd'hui est l'aboutissement logique de vos attitudes passées.

Il faut donc que je prépare un petit boniment. J'ai toujours adoré parler en public. Avouons que c'est là une occasion merveilleuse qui s'offre à moi. Je vois déjà les journaux. Un titre sur trois colonnes: TÉMOIGNAGE PATHÉTIQUE DE MONSIEUR ÉDOUARD GIGUÈRE. Après tout, je n'aurai qu'à avertir mon ami Gérard de donner du relief à ma déposition. Il me doit bien cette faveur.

Non, mais y a-t-il de la perfidie dans le monde ! Car enfin, ce jeune homme est issu d'une bonne famille: elle compte même un sénateur. Qui eût jamais prévu cette déchéance de Langlet ? Enfin ! je suis tranquille, bien tranquille: voilà une bouche fermée pour des années. Peut-être même pour l'éternité ! Ouf ! Quand je pense à ce document si compromettant qui lui était tombé entre les mains ! Il ne s'en est jamais servi, il n'y fit jamais la moindre allusion, je dois lui rendre ce témoignage, mais je sentais toujours cette épée de Damoclès au-dessus de ma tête. Au fond, je m'affole inutilement. La divine Providence a déjà châtié le coupable.

Pourvu que Claire soit au rendez-vous, demain ! Je vais lui téléphoner.

IV

Marie-Ève

Pourquoi, Seigneur, faut-il encore que je souffre par lui ? Pourquoi, mon Dieu, faut-il encore que je l'aime ? Pourquoi, après tant d'efforts, ne puis-je en délivrer mon esprit ? Pauvre chéri, je pense à toi ! Je t'aime ! Je t'aime ! Je t'aime !

Je pense à tous les supplices que tu dois endurer.

Je pense que tu n'es plus jamais seul, toi qui recherchais la solitude, toi qui avais besoin d'isolement, comme d'autres, de cris et de foules.

Je pense que l'on va livrer ton cœur à un public avide de scandales; je pense à ces hommes et à ces femmes qui te dévoreront des yeux dans l'espoir de percer ton secret, de te forcer à leur livrer ton âme et qui jouiront de ta détresse. Sans l'avouer.

Je pense que te voilà l'objet de toutes les conversations, le soir, pendant le repas.

Je pense à ces mères, je pourrais les nommer, qui avaient rêvé de toi pour gendre, et qui, à l'heure du bridge, te grignoteront comme un petit four. Et à ces autres, auréolées d'une pureté inhumaine, qui frissonneront en pensant à leurs jeunes filles dont elles ne savent pas que...

Je pense à tous ceux qui te renieront. Et à tous ceux qui se voileront la face.

Je pense qu'au sermon du dimanche, on t'utilisera pour inspirer le dégoût du mal. Ce dégoût que, toi-même, tu ressentais tellement, et qui n'était pas seulement commandé par ta raison, mais qui montait de ton cœur, qui était toi.

Je pense à tous ceux qui déjà te condamnent alors que la plupart des hommes ont sans doute vécu des aventures semblables à la tienne, à ce que j'imagine. Je voudrais tant ne pas y arrêter mon esprit. Cette vision m'obsède et pourtant, Vous le savez, mon Dieu, si je les combats ces poussées de mon sang ! Comme tu dois souffrir, mon pauvre ami ! Comme tu dois être malheureux ! Et moi qui ne puis rien pour toi !

Seigneur ! c'est affreux ce qu'il a fait, je le sais bien, affreux ! Et c'est en vain que ma pensée tente de fuir cette chambre où... Mais, Vous savez, Vous, qui il est ! Vous comprenez, Vous, les soubresauts violents du cœur humain ! Vous savez, Vous, qu'il n'a sûrement pas voulu ce mal, qu'il n'est pas responsable de toute cette horreur ! Sauvez-le, Seigneur ! sauvez-le ! Je ne puis rien pour alléger sa souffrance, mais Vous, Vous pouvez entrer dans sa cellule et verser en son âme de l'espoir, de la paix. Votre paix. Vous pouvez Vous introduire auprès de lui. Permettez donc que je Vous accompagne et que ma pensée calme son esprit et apaise son pauvre cœur qui n'en doit plus pouvoir de tant souffrir. Donnez-lui un peu de Votre force, Jésus, et que l'épreuve ne l'anéantisse pas. Qu'il ne soit pas brisé par une justice inhumaine ! Je ne puis rien, mais Vous, Seigneur, Vous pouvez l'aider ! M'entendez-Vous, seulement, mon Dieu, m'entendez-Vous ?

Je me jette à vos pieds, Vierge Marie ! Je vous supplie de sauver cet homme, mon pauvre petit. Souvenez-vous, ô très pieuse Vierge... Souvenez-vous de votre amour, de votre pitié pour les hommes. Sauvez Jacques ! Vous savez bien que mon amour est maintenant purifié, et comme je l'aime sans espoir. Prenez mon cœur, broyez-le, que toute ma vie il batte pour rien, mais sauvez-le, lui ! Que ma prière ne soit pas inutile et qu'il sente passer sur son visage le souffle de votre tendresse, celui qui peut-être vous a oubliée.

Se peut-il, pauvre chéri, que tu sois là-bas, hors du monde, objet de dégoût, de mépris et de haine pour tant d'humains incapables d'amour, de compréhension et de pardon, toi qui étais noble, toi qui étais pur, toi qui admirais la beauté, toi qui la convoitais, toi qui en vivais ! Se peut-il ? Se peut-il que tout ce que tu fus soit aboli en un instant ? Non ! C'est impossible, parce que moi, je te dois d'être meilleure. Je te dois de connaître la joie et les sacrifices exaltants qu'il faut accepter pour la posséder. J'étais la plus matérielle des femmes. Aucun de mes amours qui n'ait été gorgé de sensualité. Mais tu es venu. Et j'ai compris. Oh ! Ce ne fut pas un miracle ! Et encore aujourd'hui, je dois parfois lutter jusqu'à l'épuisement pour chasser certaines suggestions. C'est cette guerre âpre mais salutaire que tu m'as apprise. Et c'est ainsi que tu m'as aidée. Par ta seule présence à mes côtés, présence éphémère, mais combien fascinante, tu as ennobli mon âme. Je n'aurai pas eu besoin des réponses de ton cœur, de ton esprit et de ta volonté pour que tu demeures le grand souvenir de ma vie, le vrai bonheur de mon existence.

Mais toi, tu restes les mains vides. Tu n'as même pas la consolation de savoir que ta vie n'aura pas été inutile et que tu as rendu la paix accessible à une pauvre femme qui n'y croyait plus.

C'est ma raison qui parle en ce moment. Mais je puis bien t'avouer, aujourd'hui, je puis bien te crier dans mon oreiller, comme j'ai souffert de ne pas émouvoir ton cœur, de n'être pour toi qu'une amie, de n'être pas ta chose, ta femme. J'ai eu faim de toi jusqu'à en hurler. Et voilà qu'à cause de toi, ce soir, je voudrais ne plus attendre rien, ne plus croire à rien, ne plus aimer rien puisqu'il n'y a peut-être, ici-bas, rien à attendre, rien à croire, rien à aimer. Rien. L'infini vide. Rien. Fermer les yeux. Sombrer. Rien. Fermer les yeux. Ne plus jamais les rouvrir. Rien. Rien. Rien. Et pourtant, non ! Parce que la seule chose qui, à l'heure actuelle, m'impose la volonté de vivre, c'est toi. Non pas ton intelligence, ton esprit, ton âme ou ta pensée, non ! ton visage, tes yeux, ton front, ta bouche. Je te désire ! Je te veux ! Je t'appelle ! Je t'appelle par ton nom ! Je voudrais m'anéantir en toi, Jacques ! Jacques ! Jacques ! J'ai tellement besoin de toi, tellement ! Oh ! si tu savais ! Si tu avais su ! Comme je t'aurais aimé ! Mais tu n'as pas su ou tu n'as pas voulu savoir. Et ces choses que je sanglote, ce soir, je ne pourrai jamais te les dire. Jamais ! Je voudrais au moins pouvoir te les écrire. Et s'il était possible de signer avec tout mon corps, eh bien ! Jacques, je le ferais!

Mais je délire, grand Dieu ! Pardonnez-moi, je suis folle ! Je ne veux pas le désirer. Je ne veux pas !...

Jacques, tout est silencieux autour de moi. Toute la ville dort ou se caresse. Mais toi, tu veilles. Et moi, je pense à toi de toute la force de ma pensée. Je m'ennuie, tellement ! Si au moins tu pouvais deviner que celle dont l'amour t'impatientait et à qui, sans le vouloir, tu fis tant de mal, t'accompagne, ce soir, le cœur broyé, sur la route inconnue où tu chemines !... Si au moins tu pouvais savoir !

V

Le Bon Combat
(Editorial du 8 septembre 19...)

Nos moeurs s'en vont !
Où vont-elles ?

Depuis bientôt six mois, nous commentons quotidiennement dans cette page l'admirable lettre sur la moralité que NN. SS. les Archevêques et Evêques de la province ont adressée à leurs ouailles. Sujet brûlant d'actualité, s'il en fût jamais ! Et comme elle est triste, pénible et révoltante l'attitude de certains catholiques tièdes qui nous reprochent de nous étendre trop longuement, à leur goût, sur une question qui devrait passionner tous ceux qui portent au front le signe indélébile du baptême. Mais nous savons où se trouve notre devoir.

Le triste événement qui s'est déroulé hier dans notre ville, et dont on lira le récit dans une autre page, — sans jaunisme, contrairement à la façon d'agir de certain confrère du matin — démontre bien qu'on ne parlera jamais trop de cette pureté farouche qui doit informer nos pensées et nos actes même les plus secrets.

Il ne nous appartient pas de juger la pauvre fille qui vient d'entrer dans l'éternité sans revêtir la robe nuptiale. D'autre part, il appartiendra au tribunal temporel de juger son triste compagnon. Bien que nous déplorions beaucoup la honte qui enveloppe de ses doigts visqueux et rouges de sang une honorable famille de cette ville, nous espérons que la justice suivra son cours et qu'elle punira, avec toute la rigueur possible, un crime dont frémissent nos entrailles de fils, d'époux, de père et de chrétien. Il faut une leçon !

Mais à nous, journalistes catholiques et canadiens-français, échoit le rigoureux devoir de stigmatiser, avec l'humble talent que nous sommes fiers de mettre toujours au service de l'Église, le péché dont les ramifications s'étendent jusqu'au sein des classes privilégiées, plus que toutes les autres tenues de donner l'exemple.

Depuis quelques semaines, la police semble sortir de sa léthargie. Ce n'est pas trop tôt ! On a bien voulu nous dire que la campagne sans peur et sans reproche que nous poursuivons n'est pas étrangère à ce réveil des gardiens de l'ordre. Nous en rendons grâce à Dieu ! Mais il faut que cette répression du mal s'intensifie, qu'elle soit aussi vaste que notre foi ! Plusieurs arrestations ont été opérées ces derniers temps; plusieurs bouges ont été vidés de leur marchandise humaine et de leur clientèle infâme. Cela est très bien, mais ce n'est pas assez ! Car nous savons que les vrais coupables sont encore en liberté et qu'ils déambulent, d'une façon éhontée, dans certains salons du quartier le plus riche de notre ville. C'est un scandale pour les honnêtes gens ! Que la police frappe, et qu'elle frappe fort ! On dit que la justice a le bras long:

qu'elle le prouve, c'est le temps ! Qu'elle ne craigne pas de mettre la main au collet de bandits en smoking. Et nous espérons que nos policiers n'auront pas à lutter, dans l'exercice de leurs fonctions, contre certaines puissances occultes. Nous n'en disons pas plus long pour le moment. Nous espérons être compris !

Nous nous excusons d'une certaine violence qui transpire sans doute dans ces lignes. Nous ne pouvons en réprimer les sursauts. D'ailleurs, Moïse aussi s'est mis en colère, un jour ! Et comme lui, nous avons la certitude de présenter à un peuple qui adore le veau d'or les tables de la loi indiscutable. Voilà pourquoi nous ne cesserons de répéter inlassablement: Tous à l'action pour la moralité ! Voilà pourquoi également, nous exigeons que les grands hôtels de la ville reçoivent, comme les maisons de prostitution, la visite inopinée de la brigade mondaine. Dans la répression du mal, aucune distinction ne doit exister entre les classes sociales. Et si l'on craint d'effaroucher la clientèle honnête de ces hôtels et même, ce que nous ne voulons pas, d'en chasser le tourisme, industrie vitale de notre ville, eh bien ! que nos policiers n'hésitent pas au besoin à utiliser les ascenseurs de service pour opérer leurs descentes. Que l'on nous passe ce mot d'esprit involontaire.

Nous prions aussi la police des liqueurs d'avoir l'œil ouvert et de joindre ses efforts à ceux de notre police des mœurs, car l'alcool est le frère siamois du vice impur. Malgré ce qu'on en a dit, le dieu Bacchus présidait sûrement à la fête qui s'est terminée si tragiquement. L'enquête, si elle est impartialement menée, dira d'ailleurs que nous avons raison.

Derrière les froids barreaux de sa prison, le jeune détenu, s'il lisait notre journal (il devait le lire parfois puisque son honnête famille — et nous devons lui rendre ce témoignage — y était abonnée) doit songer, mais un peu tard, que notre enseignement offre tout de même la seule recette du bonheur vrai. S'il avait été Lacordaire, il ne boirait pas, aujourd'hui, la lie qui se dépose au fond de toute action mauvaise. Comme nous soupirons après le jour où la prohibition sera imposée à toute la province !

Nous ne le répéterons donc jamais assez !
Que les parents veillent avec sévérité, avec
une sévérité tempérée évidemment d'affection
et de charité chrétiennes, sur la conduite des
enfants nés de leur union intime sous l'œil
paternel de Dieu. Sur les petits, cela va de soi,
mais sur les grands aussi, car c'est surtout vers
les jeunes gens et les jeunes filles que Lucifer
et sa cohorte impure tournent leurs gueules
dévorantes. Non ! Lucifer ne vieillit pas !

Et puis, mon Dieu ! pourquoi ne pas y
revenir au risque même de faire sourire
encore certains sceptiques qui ne croient au
feu que lorsque leur maison brûle ? Pourquoi
ne pas y revenir, malgré ce qu'on en dit dans
certains milieux que nous savons intéressés à
voiler l'inquiétante vérité ? Que tous les corps
publics intensifient, nous les en conjurons à
deux genoux, leur lutte contre le communisme ! Que tous les frères dans la foi se
donnent la main pour le succès d'une croisa-
de contre les doctrines subversives ! Nous
verrons alors comme l'état même de nos
mœurs s'en ressentira. Car, ne l'oublions pas,
une âme impure est une terre toute prête à

recevoir la graine moscovite et à la faire germer. Les ricanements de l'Ours rouge qui se pourlèche les babines chaque fois qu'il se commet un péché mortel dans notre province, château fort du catholicisme, galvaniseront notre volonté de le museler définitivement !

Nos mœurs s'en vont à la débandade, c'est visible. Nous avons même l'impression de les voir courir au loin, dans une course effrénée et folle qui les emporte on ne sait où, mais qui les emportera sûrement à leur perdition si, par une prise de conscience qui s'impose, nous ne donnons à la roue du chariot de la pureté le coup d'épaule qui le sortira de l'ornière où il s'enlise.

Les chefs spirituels font leur devoir, tout leur devoir, plus que leur devoir. Nous tenons à leur rendre ici un autre témoignage public. Pouvons-nous en dire autant de nos chefs temporels ? Nous touchons là un point délicat, et nous voulons être bien compris. Nous ne visons personne en particulier, puisque nous ne faisons pas de politique. Nous posons simplement la question dans l'espoir que tous se rappelleront qu'un catholique est responsable de son frère. C'est uniquement dans cet esprit que nous adressons un vibrant appel au grand sens chrétien du procureur général actuel et du maire de notre ville qui, comme leurs prédécesseurs d'ailleurs, comprennent, nous en sommes persuadés, la primauté de l'esprit sur la chair.

Des mesures draconiennes s'imposent: que les responsables n'aient pas peur de les prendre ! Nous les seconderons !

Nous reviendrons d'ailleurs sur le sujet demain.

Jean-Paul Ratté

VI

La femme de peine

Ben moi, j'peux pas croire ça ! Pis, j'le croirai pas tant qu'on me l'aura pas prouvé comme deux et deux font quatre. Ça fait ben des années que j'lave chez eux, et moi, ce garçon-là j'le connais mieux que tous les autres.

Un vrai monsieur, que j'vous dis. Un jeune homme ben poli, ben affable. Y'm'traitait comme si j'aurais été une vraie dame. Y barlandait pas, sur la rue, pour lever son chapeau quand y m'rencontrait. C'était pas comme d'autres que j'pourrais nommer, qui portent ben haut parce que leurs pères ont fait de l'argent en payant pas leurs ouvriers. J'le sais, moi, mon défunt est mort de misère. J'pourrais vous en nommer queques-uns de ces richards pas justes pantoute, et qui croiraient s'rabaisser si y nous regarderaient.

La meilleure de toutes, j'vas vous la raconter. L'année dernière, à l'entour du jour de l'an, la veille ou l'avant-veille, j'pense, monsieur Langlet est venu de contre moi avec un beau bill de deux piasses ben neuves, dans une enveloppe toute blanche et pas frippée pantoute. Y me l'a donnée et pis y'a voulu m'serer la main pour m'en souhaiter une bonne et heureuse. Pis moi, j'voulais pas, parce que ma main était toute mouillée d'eau sale et que j'avais pas de linge pour me l'essuyer et pis que j'voulais pas m'essuyer sur ma robe devant lui. Ben vous l'croirez peut-être pas, y'a insisté, pis y'a pris ma main mouillée, pis y me l'a serrée en me souhaitant la santé pis la joie. J'men rappelle comme si ça serait d'hier. Un drôle de souhait, vous penserez peut-être, mais moi, j'vous dis que ça m'a fait ben plaisir et pis que j'ai ressenti un petit chatouillement au cœur. J'suis pas accoutumée, moi, à m'faire traiter comme une riche.

Un gars qui fait ça à une pauvresse comme moi, j'vous dis que c'est pas du bois d'assassin d'sang frète. Y'a queque chose, là-dedans, que la police ou ben un bon avocat devrait ben éclaircir. Pour moi, y'a dû s'défendre. J'peux pas m'sortir c't'idée de la tête. Ou ben y'é venu fou raide !

En tout cas, l'premier qui vient m'parler de contre lui, j'vas te le r'virer assez vite qu'y'aura pas l'temps de s'en apercevoir. Et pis, comme j'peux rien faire pour lui, j'vas prier la sainte Vierge ben fort pour qu'à l'aide. A va être obligée de l'aider, j'vas te l'achaller assez ! A peut pas lâcher un p'tit gars comme lui ! Non, a peut pas.

Des fois, j'me disais que j'aurais ben voulu avoir un garçon comme lui... Moi, mes gars, c'est pareil comme si j'existais pas pour eux autres. Des piasses au jour de l'an, y m'en ont jamais données. Ni au jour de l'an ni les autres jours. Mais lui, n'importe ce qu'y'a fait, j'dirai toujours que monsieur Jacques, c'était un vrai monsieur. Y'avait d'la bonté plein le cœur. Personne m'sortira ça de l'idée. Pauvre petit ! Jésus, Marie, Joseph, aidez-le ! J'voudrais ben y parler au juge, moi !

Ouais ! J'pense qu'au lieu de m'lamenter, j'suis encore mieux d'arrêter tout d'suite à soir à la chapelle des P'tits Pères du Sacré-Cœur... Mon Dieu que j'ai donc d'la peine !

VII

Le bibliothécaire

« Mon Dieu, merci ! J'ai la conscience tranquille ! Merci de m'avoir doté d'une telle fermeté de caractère. Je n'ai absolument aucune responsabilité dans ce meurtre. Ni de près ni de loin je n'y suis relié. Si ses lectures ont influencé l'assassin, je puis attester, face au ciel, que jamais il ne s'est procuré de mauvais livres ici. Ah ! Ah ! On m'accuse de sévérité, parfois ! On ne se gêne pas, en certains milieux, pour gloser sur mon intransigeance. Après cet événement terrible, jamais, pour rien au monde, je ne dévierai d'un millième de pouce de la ligne de conduite que je me suis tracée en arrivant ici. »

— Bonjour, monsieur le Conservateur !
Vous allez bien ? Je viens chercher le sixième
tome de *Jean-Christophe*. Toujours dans
l'Enfer, Romain Rolland ?

— Jeune homme, ne blaguez pas !

— Mais qu'avez-vous ce matin ? Vous
semblez tout bouleversé !

— Jeune homme, ne vous moquez pas de
l'Enfer. C'est un paratonnerre. Vous savez
la nouvelle ?

— Non ! Quelle nouvelle ?

— Vous ne savez pas qu'un jeune homme
a tué une femme, cette nuit même, dans
notre ville ?

— Ah ! Oui, j'ai lu le journal, mais je ne
comprends pas que vous soyez ému à ce
point. L'assassin n'est tout de même pas un
de vos parents, non ?

— Plus ! Infiniment plus ! C'était un client
de la bibliothèque, un grand liseur, un intellectuel, pour employer un mot à la mode. Eh
bien ! leurs intellectuels, vous voyez ce qu'ils
valent ! Que voulez-vous, monsieur, la jeunesse d'aujourd'hui lit trop et, ce qui pis est,
elle lit des ouvrages que son esprit n'est pas

préparé à comprendre. Prenez ce type dont je vous parle, ce nommé Langlet. Il y a deux mois il m'a demandé *Une Saison en Enfer*. J'ai refusé net. Ce livre ne convient pas à la jeunesse, et je lui ai dit ce que je pensais de son Rimbaud. Voyez-vous, je reçois régulièrement la *Revue des Lectures* et je pige dans cette publication un tas de jugements définitifs sur une foule d'auteurs. Je puis, ensuite, faire profiter de mon expérience et de mes connaissances ceux qui veulent bien me consulter. Mais qui demande des conseils, aujourd'hui !

—Permettez, monsieur le Conservateur, mais je ne vois pas très bien le rapport entre Rimbaud et le meur...

— Ah ! Ah ! vous ne voyez pas ? Eh bien ! je vais vous expliquer. Asseyez-vous. Vous ne croyez pas, jeune homme, que les lectures influencent les actions ? Vous ne croyez pas ? Non ?

— Oui, d'accord, mais je ne sache pas que la *Saison en Enfer* ait jamais poussé quelqu'un au meurtre !

—C'est bien ce que je redoutais ! Vous

aussi vous avez le poison dans le sang. Absolument comme l'autre qui avait insisté à n'en
pas démordre pour que je lui prête ce livre,
dissertant longuement sur Rimbaud et invo-
quant même le témoignage de Claudel, que
je n'ai jamais lu, d'ailleurs, les poètes moder-
nes ne me disant rien. Il paraît, en outre,
qu'ils sont obscurs. Lorsqu'on a lu, et surtout
retenu, Louis Veuillot et Paul Bourget, je me
demande bien ce que ce Claudel peut apporter de neuf. En tout cas, je ne crois pas qu'il
ait dépassé, en profondeur, la pensée de
Bourget.

— Tout de même, monsieur, vous ne
pensez pas que...

— Permettez, je termine mon exposé.
Langlet m'avait affirmé que la lecture de
l'œuvre de Rimbaud était intimement liée à
la conversion de son Claudel. Je veux bien,
mais je n'en détiens pas la preuve. Et j'exige
des preuves, moi, avant d'accepter de telles
affirmations. Et puis, même si c'était vrai, je
ne connais pas la portée de cette conversion-
là, ni sa qualité ni sa durée. Qu'en pense
Dieu lui-même ? Admettez que c'est assez im-

portant ce qu'en pense Dieu, n'est-ce pas ?
Vous n'y aviez pas songé, je parie ! Hein ? Et
son Claudel, persévérera-t-il jusqu'à la mort ?

— Oh ! vous pouvez dormir tranqui...

— Pardon ! Converti ou non, ce n'est pas
mon problème. Mais une chose est certaine:
c'est que moi, j'ai un sacerdoce intellectuel à
exercer ici, et je ne m'allierai pas à ceux qui
veulent saper la foi et les mœurs de notre
saine population. Vous me comprenez ?

— Et le Rimbaud, le lui avez-vous remis ?

— Jamais de la vie ! Il l'a évidemment
trouvé ailleurs. Dans son cas, la conversion
n'a pas été foudroyante ! Enfin ! tant pis pour
lui et pour celui qui le lui a procuré. Moi,
je m'en lave les mains !

— Je crois que vous poussez un peu loin
votre...

— C'est donc difficile d'enfoncer certaines
vérités dans les cerveaux d'aujourd'hui ! J'ai
dit et répété en de multiples occasions que
seuls ceux qui ont un esprit bien formé, et
par esprit bien formé j'entends celui qui a
reçu la formation classique complète, ceux-là
seuls, dis-je, peuvent se permettre la lecture

des ouvrages sérieux, des ouvrages qui posent des problèmes et qui exigent de la réflexion. Et même ces esprits bien formés, ils retireront encore cent fois plus d'avantages de la lecture des œuvres de Bordeaux et de Bourget, pour vous citer des noms. Eux inspirent la joie de vivre, ils se complaisent dans la description agréable des beautés de la vie et ne s'aventurent pas, comme vos auteurs qui s'intitulent catholiques, dans les détours nauséabonds du cœur humain. D'ailleurs, et j'en remercie le ciel, nos hommes de professions libérales sont encore les meilleurs clients de Bourget. Je crois que le monde devient fou. Chaque jour on me réclame des auteurs nou...

— Vous allez m'excuser, je dois filer. Vous me passez le *Jean-Christophe* ?

— ... des auteurs nouveaux. Des noms qui sortent on ne sait d'où. Aragon, Supervielle, Eluard, Emmanuel, et combien d'autres ! En tout cas, jusqu'à ce que la maison de la Bonne Presse se soit prononcée sur la valeur de ces écrivains, je ne tolérerai pas qu'ils mettent les pieds ici. Non, monsieur. Pas tant que je serai le gardien de ce sanctuaire de la pensée. La culture, j'en suis ! Mais d'abord, la morale ! Ce qui vaut beaucoup mieux !

— Monsieur, des drames de cette envergure font réfléchir. Ils indiquent d'une façon péremptoire où se trouve le devoir. Et ils me confirment dans mon opinion qu'on ne joue pas avec les idées malsaines. Ah ! oui ! J'oubliais ! Votre Jules Romains !

— Pardon ! Romain Rolland

— Oui, oui, je dis bien, Romain Rolland. Bien, mon cher, si vous tenez absolument à l'avoir, apportez-moi une autorisation écrite de votre confesseur.

VIII

A l'heure du bridge

Une activité inaccoutumée animait le salon de madame Huard en cette fin d'après-midi. A peine allumées, les cigarettes étaient écrasées dans les cendriers. La maîtresse de maison elle-même, les yeux mi-clos, le visage attentif et le nez plissé, tirait des bouffées d'une du Maurier qu'elle tenait gauchement. Une toux violente la secouait parfois, qu'elle ignorait dans le feu de la conversation. Les maniaques du bridge, pressées d'ordinaire de battre les cartes, ne manifestaient en ce moment aucun désir d'interrompre l'unanime bavardage.

En demi-cercle autour du divan, elles devisaient avec animation. Des « oh! » des « ah! »

des «c'est affreux!» perçaient parfois la caco-
phonie. L'entrée de madame Picard, femme
d'un professeur à la faculté de médecine,
ralentit le débit du commérage et accrut la
tension nerveuse. On la dévorait des yeux,
attendant avec impatience qu'elle se décidât
enfin à parler.

Consciente de son importance, la grosse
dame tapotait ses cheveux légèrement teintés
de bleu, dévisageait ses compagnes, les unes
après les autres, poussait de petits soupirs,
haussait les épaules et hochait doucement la
tête d'un air abasourdi pour bien démontrer
à quel point l'événement la stupéfiait.

Dévorée de curiosité et n'en pouvant plus
de ce silence intolérable qui menaçait de
s'éterniser, madame Brosseau lui demanda
enfin:

— Et puis, madame Picard, avez-vous
appris quelque chose ? Avez-vous vu notre
pauvre amie ? Comment va-t-elle ? Vous a-
t-elle parlé ? Vite, racontez-nous votre visite !

Madame Picard parut sortir d'un songe.
Elle demanda d'abord une tasse de thé, pour

faire durer le supplice de leur attente, but lentement, à petites gorgées, tira de son corsage un mouchoir de fine toile et adressa un petit geste bon enfant à madame Huard qui s'apercevait enfin que, dans son énervement et dans la crainte de perdre une tranche du reportage, elle avait oublié d'apporter une serviette.

— Pour être franche, commença lentement madame Picard, je ne sais pas grand-chose de neuf, et je crains fort de vous décevoir. Vous comprenez, comme vous toutes je brûlais d'en apprendre plus long, mais je n'osais pas attaquer le problème de front, ni questionner trop directement cette pauvre madame Langlet. Je préférais lui témoigner ma grande sympathie, confiante qu'elle finirait par s'ouvrir à moi. Rien à faire. Elle est comme folle et ne cesse de répéter: « Non ! Non ! Ce n'est pas vrai ! Ce n'est pas vrai ! Mon fils n'est pas un assassin ! J'ai fait un cauchemar ! Ce n'est pas possible ! N'est-ce pas, madame Picard, que ce n'est pas vrai et que mon Jacques va revenir tout à l'heure ? Non ! non ! ce n'est pas vrai ! » Une scène pénible que je n'oublierai pas de sitôt et d'autant plus fatigante pour moi que mon cœur n'est pas très fort. Je prends de la digitaline deux fois par jour, je pense vous l'avoir dit, n'est-ce pas ?

— Oui ! oui ! Continuez !

— Alors, je me suis penchée vers elle, je l'ai prise par les épaules et j'ai essayé de la consoler. Et pour lui changer les idées, j'ai tenté de la faire parler. Je lui ai glissé bien doucement: « Voyons donc, madame Langlet, prenez sur vous, contrôlez-vous ! Ne vous mettez pas dans un pareil état. Pensez aux autres. Il vous faut vivre pour eux. Racontez-moi tout. Vous serez soulagée de vous confier à quelqu'un. Vous pouvez parler, moi c'est la tombe. Saviez-vous qu'il voyait habituellement cette fille-là ? Aviez-vous remarqué quelque chose d'étrange dans sa façon d'agir, ces derniers temps ? Avait-il déjà découché ? » Mais j'en fus quitte pour ma peine: elle me repoussait avec obstination et sanglotait de plus belle.

Je ne savais plus quelle contenance prendre. Vous pouvez être certaines, chères amies, que seule la charité chrétienne m'a fait rester là une heure. Autrement, je serais partie tout de suite. Surtout qu'il n'y avait pas un mot à lui sortir de la gorge ! Quelle atmosphère, grand Dieu ! Et quel désordre dans la maison ! Et puis, au fond, ces sales histoires de mœurs m'ont toujours profondément dégoûtée, et je ne m'explique pas l'intérêt malsain que tout cela excite dans le peuple. Il y a beaucoup de morbidité, vous savez, chez les gens que nous croyons simples.

— Désordre dans la maison, désordre dans les âmes ! siffla madame Dumas. La propreté et la vertu marchent de pair. Et ce n'est pas moi qui le dis. Lisez *Brigitte !*

— Votre mari croit-il, madame Brosseau, que le meurtrier, puisqu'il faut bien l'appeler ainsi, puisse échapper à la potence ?

Le corsage de l'interpellée se tendit jusqu'à craquer sous la poussée d'un buste qui s'épanouissait.

— Le juge n'a pas voulu prévenir le verdict. D'ailleurs, il a raison d'être circonspect, car il peut fort bien être appelé à présider le procès. Ce serait une situation délicate pour nous vis-à-vis des Langlet, mais ce n'est pas moi qui décide, vous le savez ! D'autre part, j'ai moi-même quelques notions de jurisprudence. Vous comprenez, ajouta-t-elle avec un sourire qui se voulait modeste, que fille d'un avocat éminent et femme de juge, j'aie le Droit dans la peau, comme on dit vulgairement. Aussi, je pense qu'il lui sera difficile, pour ne pas dire impossible, à ce pauvre jeune homme, d'échapper à son triste sort. Le crime passionnel, comme c'est apparemment le cas ici, ne trouve aucune grâce devant le tribunal et le Code prévoit la peine de mort. Notez en passant que la justice anglaise est beaucoup plus sévère que la justice française dans les cas de crimes passionnels.

— Et il est juste qu'il en soit ainsi, martela madame Dumas, dont c'était le grand regret inavoué de n'avoir jamais eu à défendre sa vertu.

— Votre mari partage-t-il votre opinion, madame ?

Cette question posée d'une voix mielleuse créa un malaise, car tout le monde connaissait le passé et le présent pas tellement propres du mari en question. Mais elle, comme beaucoup d'épouses, ne savait rien.

— Je voudrais bien qu'il ne pense pas comme moi ! Et puis, si vous le voulez, je vais vous en parler, moi, de Jacques Langlet !

— Mais c'est vrai, madame Dumas, vous l'avez bien connu, vous, n'est-ce pas ? Il a fréquenté chez vous assez longtemps avant de laisser tomber votre fille !

Madame Dumas est une femme dévote. Elle ne broncha pas sous l'affront. Et avec un petit sourire qui allait lui permettre, ce soir, d'inscrire sur son carnet: une victoire sur moi-même: — Je n'aime pas parler des amours d'autrui. Mais je dois vous faire remarquer que Jacques n'a pas laissé tomber ma fille comme vous le signalez faussement, madame Picard. C'est Louise qui l'a prié de ne plus revenir. Et je me souviens fort bien de ce jour-là. Elle avait le cœur brisé, la pauvre enfant, non pas de s'en séparer, comme vous pourriez le croire, mais de le chagriner. « Des fréquentations de six mois, avais-je rappelé à Louise, il faut que ça se termine d'une façon ou d'une autre. Surtout quand le jeune homme occupe une bonne situation. » Grâce à Dieu, ma fille a admis mon intransigeance. D'ailleurs, une mère a toujours de l'intuition. Ce que nous l'avons échappé belle, n'est-ce pas ! Non ! mais vous voyez notre famille mêlée à cette affaire et ma fille appelée en qualité de témoin au procès ? Son nom traîné dans les journaux ! Et les questions indiscrètes des avocats ! La réputation de Louise ternie à tout jamais ! Et quand je pense que ce sale individu devait se livrer à ce petit jeu-là au temps même où il s'asseyait à notre table ! Vous ne me croirez peut-être pas, mais je soupçonnais quelque chose. Oh ! il paraissait bien élevé, mais précisément il était trop poli pour que ce fût une politesse de l'âme. Sa politesse était tout artificielle. L'œil le moins perspicace pouvait redouter quelque chose de louche sous ses manières bizarres. Puis, il avait parfois une façon de vous regarder d'un petit air, comment dirais-je ?...

— ... Hautain ?

— Oui, c'est cela, hautain, ou plus exactement, méprisant. Un air de supériorité et de détachement auquel je n'ai jamais pu m'habituer. Quelque chose d'assez indéfinissable, en somme, mais qui ne me revenait pas du tout. J'en ai parlé à Philippe, plusieurs fois; mais vous savez, Philippe, il ne voit jamais rien. J'oubliais ! Si vous aviez vu comment il s'habillait ! Croyez-le ou non, mais je ne vous mens pas: il s'est présenté plusieurs fois à la maison avec des guêtres noires aux pieds !

— Noires ?

— Oui, madame, noires. Vous ne me direz tout de même pas que des laïcs peuvent porter des guêtres noires ? Ce désir de trancher sur les autres trahit un état assez inquiétant, je crois.

— Un état ?...

— Ne me faites pas parler, madame Brosseau, je ne veux pas manquer à la charité. Je me comprends. D'ailleurs, les faits sont là pour prouver que mes craintes étaient justifiées.

— N'oubliez pas, chères amies, que madame Dumas est la seule à bien connaître

Jacques Langlet. Nous, nous ne le voyions jamais. Jamais il ne venait nous saluer au salon, les rares fois où sa mère nous a reçues. Vous avez dû le remarquer, n'est-ce pas ? Moi, je me demande... Enfin, je pense la même chose que notre amie. Tant d'hommes, aujourd'hui, ne s'intéressent plus aux femmes !

— Mais, à propos, madame Dumas, aviez-vous surpris quelque chose d'étrange dans ses agissements avec votre fille ? Se comportait-il avec elle comme un amoureux normal ? Ou bien, votre fille était-elle un paravent pour ses petites manigances ? L'avez-vous déjà surpris à embrasser Louise, à se permettre de trop grandes familiarités avec elle, ou quelque chose du genre ?...

— Croyez-vous que ma jeune fille se serait laissé faire ?

— Non, bien sûr ! Je n'ai pas dit qu'elle se serait laissé faire, mais lui, il aurait fort bien pu se montrer un peu trop entreprenant. Les hommes de nos jours sont assez hypocrites pour jouer les deux jeux en même temps. Si vous saviez comme ils sont vicieux à côté de ceux de notre temps; ils ont des manières vulgaires, je dirais même bestiales, qui n'existaient pas autrefois.

La femme du juge se redressa. — Vous dites *notre temps* comme si nous étions toutes nées l'année de la Confédération ! Quant aux hommes, eh bien ! moi, je ne crains pas de proclamer que tous ceux qui m'ont fréquentée, une douzaine au moins sérieusement, ont toujours voulu me caresser les épaules, le cou... enfin, j'ai dû rabattre un tas de mains par trop exploratrices. Je n'ai jamais toléré une trop grande intimité. Ma mère m'avait bien avertie que ce n'était pas le bon moyen de s'attacher un homme. « Garde tes atouts jusqu'au bout ! » m'avait-elle recommandé. Cette pauvre maman, comme elle voyait clair ! Je n'ai pas regretté de l'avoir écoutée. Mais au fond, chères amies, avouez donc que c'est tout de même une sorte d'hommage que les hommes rendent à notre charme en n'étant pas toujours tellement sages ! Hein ? Allons, avouez !

Oh ! miracle ! Tous les corsages se souvenaient d'avoir été des places fortes, plus ou moins invulnérables, à l'assaut desquelles s'étaient portés de nombreux francs-tireurs pas toujours repoussés avec succès !

— Allons, mesdames, au jeu !

IX

L'avocat et sa femme

Georges Lebrun était méconnaissable. Lui qui possédait, comme pas un, le secret d'ouvrir et de fermer sans bruit les portes entra ce soir-là en coup de vent. Il lança son chapeau sur un fauteuil, embrassa sa femme, et la soulevant de terre exécuta un vague pas de danse. Il rayonnait. L'épouse, d'abord inquiète de cette exubérance inaccoutumée, flaira l'haleine de son mari. Précaution inutile, puisque Georges Lebrun ne buvait jamais d'alcool avant le souper.

Cinq ans de vie commune avec cet homme avaient habitué l'épouse à refréner sa curiosité. Des premiers mois de son mariage, elle gardait le souvenir des disputes qu'avait déchaînées son indiscrétion maladive. Si le mari était affable et prévenant, l'avocat, par contre, se murait dans un mutisme qu'aucune question n'entamait. Et le silence se durcissait dans la mesure exacte où les questions se multipliaient toujours plus pressantes jusqu'au moment où il éclatait violemment rompu par des explosions subites de colère quand l'épouse, à tout prix, voulait savoir.

— Tu ne me demandes pas ce qui m'arrive ?

Elle se retourna vivement vers lui, le regarda en baissant un peu la tête et en soulevant les sourcils, ce qui lui creusa deux rides sur le front.

L'homme se dit: elle vieillit ! Et il revit sa secrétaire. — Oui ! Oui ! Je comprends ! Mais aujourd'hui, tu peux me questionner tant que tu voudras. Et même si tu ne me questionnes pas, je vais te le dire: j'ai la cause !

— Hein ?

Il n'eut pas à répéter. Elle avait très bien entendu. Ces trois petits mots de rien du tout lui signifiaient nettement l'heureuse issue d'une longue attente inquiète. On avait tant parlé de cet événement depuis hier ! On s'était livré à tant de calculs ! On avait examiné à la loupe les chances possibles des confrères tandis que timidement on espérait bien l'obtenir, cette cause, mais sans trop y croire. Aucune raison d'y croire ! Et voilà que tout était décidé, réglé, fixé. Les conjectures s'évanouissaient et seul restait debout, palpable, le rêve matérialisé.

— Mais comment cela est-il arrivé ?

L'avocat réprima un mouvement d'impatience. Sa femme serait donc toujours étonnée de ses succès ? Et il se disait, avec dépit, que s'il est une personne au monde que ne devrait pas surprendre le succès d'un homme, c'est bien son épouse ! Mais la sienne ne se corrigerait jamais de cette manie. Il se rappelait cette nuit d'insomnie où il s'était enfin résigné à l'incompréhension de sa compagne. Avec amertume il avait songé à telle femme qui, elle, eût compris. Madeleine ne soupçonnerait donc jamais qu'il avait quelque chose dans le ventre ?

— Oh ! tu ne pourrais jamais le deviner ! Le père de Langlet s'est présenté à mon bureau, vers trois heures. Un homme de soixante ans, à peu près. Le juge Renault, son ami d'enfance, lui a recommandé de me confier la défense de son fils; le juge lui a affirmé que j'étais, à son sens, celui qui pourrait le sauver. Tu te souviens du juge Renault ? Je t'ai déjà parlé de lui. Je t'ai dit qu'il s'intéressait à moi et qu'il m'avait félicité de mes articles sur *La Justice et l'Homme.* Ce serait tout de même renversant si ces travaux me valaient ce qui m'arrive aujourd'hui ! Après tout, je ne trouve pas d'autre explication.

Madeleine n'écoutait plus. Elle avait fermé les yeux pour savourer son plaisir. Et voici qu'une foule d'idées et d'images assaillirent son esprit. Cette cause, c'était la première grande affaire qui était confiée à son mari. Et c'était aussi la renommée pour lui, pour eux, s'il la gagnait ! Un tel procès passionnerait sûrement l'opinion publique. Il lui semblait que tout était changé, bouleversé depuis dix minutes. Elle entendit rouler une voiture et fut toute surprise qu'elle ne s'arrêtât pas devant la maison. Tout aurait dû arrêter devant la maison en cette journée unique. Avait-elle été bien inspirée d'épouser Georges plutôt que Léon ! C'était la première fois qu'elle se félicitait de son choix. Elle raffolait de Léon, mais quel avenir espérer aux côtés de ce simple commis de bureau ? Car, pour la jeune fille qu'elle avait été et pour la femme qu'elle était, un mari ne se convoitait, et par ordre, que médecin, avocat, notaire ou savant. Peut-être eût-elle accepté un vétérinaire mais un vétérinaire c'eût été déjà un pis aller. Demain, demain Georges connaîtrait la gloire ! Une petite gloire locale, objectera-t-on. Mais les journaux de toute la province parleront du procès, et par eux, les villes voisines connaîtront le succès de son mari. Et puis, une réputation d'avocat se construit si vite, grandit si rapidement, parfois, prend soudainement de telles proportions ! Des noms se présentaient à son esprit qui lui prouvaient comme elle avait raison. Elle sourit et songea qu'elle devrait entreprendre une neuvaine de messes pour que Georges gagnât le procès.

— A quoi penses-tu, chérie, tu souris ?

— C'est tout simplement merveilleux, mon trésor !

Elle regardait l'homme. Elle le pénétrait de ce regard trouble et envoûtant qui était son secret de femme et qui, elle le savait, affolait son mari. Elle le fixait avec une admiration béate. Quel changement sur le visage de Georges ! Ses traits étaient plus graves, plus virils, plus volontaires. Dieu qu'il était beau ! Elle lui superposa le masque de Napoléon suspendu au mur de la bibliothèque, et celui du César de son histoire romaine, à la tête couronnée de lauriers. Elle éprouva soudain une sensation si violente, si palpable de bonheur, presque de plaisir physique, qu'elle pensa un moment défaillir. Elle n'en avait jamais ressenti d'aussi intense. Même pas ce soir d'avant son mariage dont elle se souvenait toujours avec frémissement. Le grand moment de sa vie ! Son exaltation d'aujourd'hui lui rappelait étrangement celle de jadis. Et une bouffée de gratitude s'élança de son cœur vers le meurtrier à qui elle devait toute cette joie.

Mais, dans un frisson, elle entrevit une potence se découpant sur un ciel pluvieux. Car elle savait, grâce à ses lectures, qu'un ciel pluvieux est inséparable d'une exécution. Son cœur battit à se rompre. Tout ce que ce gibet signifiait pour elle ! Pas un seul instant elle ne songea au drame de la vie et de la mort qui se jouerait sur cet échafaud, mais elle fut seulement hypnotisée par la hantise que cet instrument de supplice se dresserait sur l'échec de son mari. Ce seraient ses rêves que le nœud étranglerait. Cette vision lui fut intolérable.

« Non, mon Dieu ! » Elle faillit se trouver mal et vite se cramponna à l'idée du succès.

— Et à quand le procès est-il fixé ?

— Dans deux mois, à peu près. Aux assises d'hiver.

— Tu n'as pas grand temps !

— Non ! Aussi, je dois m'atteler à la tâche immédiatement. A compter d'aujourd'hui, mon petit, plus de sorties pour moi. Plus de soirées. Je m'enferme à double tour. Je t'accorderai le samedi soir, si tu le veux, mais pas plus.

Ils causèrent peu pendant le dîner. Ils se souriaient de temps à autre et c'était suffisant pour que durât leur communion, leur joie. Lui songeait à la besogne qu'il lui faudrait abattre; elle, au petit air détaché qu'elle opposerait aux félicitations de ses amies.

La dernière gorgée de café avalée, Georges Lebrun roula sa serviette, la glissa dans l'anneau et dit en se levant:

— Et maintenant, à l'ouvrage !

— Georges ! Tu ne vas pas travailler tout de suite après avoir mangé si vite ! Marche un peu, autrement ta digestion te fatiguera !

— Mais oui, je vais marcher, puisque je me rends voir mon client. Va donc au cinéma avec une amie. Ne m'attends pas, j'ignore à quelle heure je rentrerai.

* * *

De retour chez lui, l'avocat s'enferma dans son bureau. Sa femme dormait. Il était heureux que tout fût silencieux dans la maison. Mais bien vite, ce silence même lui donna sur les nerfs. C'était une date dans sa vie ! Une date attendue depuis si longtemps qu'il ne l'espérait plus. Alors que les campagnes politiques auxquelles il avait consacré tant d'efforts, et qui presque toujours, sont à l'origine du succès des avocats, ne lui avaient apporté que des petites causes sans importance de la Commission des Liqueurs, voilà que des articles de revues, auxquels il ne songeait même plus, déclencheraient peut-être tout le mécanisme compliqué qui met en branle la renommée, la fortune, la gloire ! C'est vrai qu'il y avait travaillé de tout son cœur, à ces articles ! Enfin ! Il la tenait l'occasion tant réclamée ! Et pourtant... Il sentait sa joie fondre en lui, se dissoudre, il la sentait fuir goutte à goutte... C'était bien toujours la même fatalité ! Jamais il ne saurait s'installer dans le bonheur comme d'autres dans leur certitude. Jamais il ne saurait jouir, sans arrière-pensée, des bons moments qui surgissent inévitablement dans la vie de tout homme. Jamais il ne saurait écouter battre un cœur sans songer à l'instant où ce cœur ne battrait plus. Jamais il ne saurait s'enivrer du sourire de certains yeux sans imaginer le jour où ces yeux seraient éternellement clos. Jamais il ne saura ! Jamais ! Une grande lassitude l'accabla. Plus aucune joie. De la crainte, d'abord. De l'effroi, ensuite. La tâche était immense, et lui, si faible, si ignorant, si ordinaire ! La peur d'échouer le détraquait. Et finalement, de la détresse. S'il ratait, c'était la fin. Une panique indicible s'empara de lui. Il le savait, il le sentait, il en était opprimé: la cause était perdue d'avance ! L'eau lui coulait dans le dos.

Pour la centième fois, il se remémorait l'inutile entrevue avec son jeune client dont il n'avait rien pu tirer, l'autre n'ayant pas desserré les dents. Lebrun enrageait de piétiner sur place. Il était moins avancé qu'hier alors qu'il espérait encore. Il était seul, entraîné par la déroute de sa défiance; il était seul, paralysé par l'indifférence butée de Langlet; seul en lui-même, seul contre l'autre.

Dans son désarroi, il imaginait tous les yeux de ses confrères rivés sur lui et leurs lèvres plissées en un sourire moqueur devant son impuissance à sauver le meurtrier.

« Voyons ! dit-il à mi-voix, en donnant un violent coup de poing sur la table. Une cause désespérée ? D'accord ! Le mérite n'en sera que plus grand. Le retentissement aussi. Il faut que je réussisse ! De moi seul dépend le succès. Je vais réussir, » martela-t-il.

Il prit une feuille de papier et voulut noter ses premières observations. Quel fouillis ! Tous les aspects du drame et leurs ramifications possibles assiégeaient à la fois son esprit. Il ne pouvait distinguer l'utile de l'inutile, le nécessaire de l'accessoire, l'important de l'insignifiant. Il griffonnait au hasard, jetant ici et là un mot, tentant de se dépêtrer du chaos de pensées et d'images qui encombraient son esprit.

« Des témoins du crime ? Aucun. Voilà quelque chose d'acquis.

« Le caractère de l'accusé ? Si j'en juge par mon premier contact, la poursuite n'aura aucune difficulté à prouver qu'il est plutôt renfermé, taciturne. Fourbe, dira sûrement l'avocat du ministère. Indispensable que des amis sérieux, des gens qui le connaissent de vieille date insistent sur les côtés estimables de sa nature: amour filial, altruisme, sens social, esprit familial. » Il sourit de pitié en traçant ces deux derniers mots.

« Ah ! j'oubliais ! Dieu que je suis nerveux ! L'importance prépondérante de la déposition de ce curé qui a offert spontanément son témoignage en faveur de Langlet. Où ai-je noté son nom ? Bon, voilà. L'abbé Brillart ? Non, le Père Brillart. Connais pas. A voir. Très intéressé à la cause. Il arpentait les corridors du Palais, cet après-midi, à la recherche du défenseur de Langlet. Et moi qui allais lâcher prise ! Ne pas démordre, nom de Dieu ! Vaincre ! Vaincre à tout prix ! Ce curé est peut-être notre salut ! Un curé témoin de la défense ! Formidable ! Ah ! les réponses émouvantes qui bouleverseront les jurés !

« Révérend père Brillart, connaissez-vous l'accusé ?

« Révérend père Brillart, — répéter chaque fois: révérend père Brillart — depuis combien de temps connaissez-vous l'accusé ?

« Révérend père Brillart, l'avez-vous connu suffisamment pour vous former une opinion sur son caractère ?

« Révérend père Brillart, un crime a été commis dont on accuse monsieur Langlet. Pouvez-vous dire au jury, révérend père, si, vous avez remarqué quelque chose dans l'attitude, le comportement psychique de l'accusé qui aurait pu vous inquiéter, à un certain moment ?

« D'après ce que vous savez de l'accusé, croyez-vous, révérend père, qu'il était capable de commettre un meurtre en pleine conscience de son geste ? — La poursuite va s'objecter, mais il faudra poser quand même cette question.

« Croyez-vous, révérend père, qu'en de tels moments la responsabilité d'un homme reste entière ?

« Il me faudra orienter les questions vers le champ de la responsabilité. Il va parler, ce curé ! Si les jurés ne sont pas influencés par son témoignage, aussi bien abandonner la partie tout de suite.

« Atavisme ? Hérédité ? Non. Parents normaux, je crois. Tout de même recueillir des informations précises.

« Alcoolisme ? Rien, apparemment. Vérifier au moins deux générations.

« Milieu ? Très bon, m'a dit le juge Renault. Excellent, même. Mauvais pour nous.

« Education ? Parfaite. Mauvais encore. Mais tenir le coup !

« Discuter avec un psychiatre.

« Revoir le père. Entrevue fixée demain, dix heures. Maladies de l'enfance, puberté. S'il y eut crise.

« Rencontrer le confesseur: en tirer tout ce que je pourrai. Au fait ! C'est peut-être lui Brillart ?

« Voir la mère ? Non, inutile. Me souviens des scènes disgracieuses, infectes du procès Moreau. Absolument infectes. Je me demande encore à quoi Richard avait bien pu penser. »

Depuis longtemps, l'avocat ne prenait plus de notes. Le menton appuyé au creux de sa main, il suivait, bien plus qu'il ne la guidait, sa pensée. Il avançait, docile, car il se persuadait que tout le chemin parcouru ne l'était pas en vain et que demain, il en reconnaîtrait les principaux détours. D'ailleurs, il ne pouvait orienter autrement le cours de sa méditation.

« Oh ! Oui ! Ne pas oublier ! Dénicher une jeune fille qu'il aurait fréquentée assidûment ces derniers temps. Facile. Sa conduite avec elle.

« Homosexualité ? Penchants ? Déséquilibre nerveux ? »

Et de nouveau, le départ. Les imaginations folles. La tentative désespérée de saisir, par intuition, les mobiles du meurtre. Et retour à la raison. A la logique.

« Crime inexplicable: jeune fille qu'il voyait, croit-on, depuis peu de temps. Aucune raison apparente de la supprimer. Surtout de cette façon qui ne permettait aucune évasion.

« Chantage ? Non. En tout cas, fort douteux.

« Crime non prémédité: lieu du crime, absence d'arme, attitude de l'accusé après le meurtre.

« Folie ? Evidemment ! Folie passagère, comme dans tous les homicides de ce genre. Malheureusement, aucune valeur de défense. Chercher cas identiques. Fouiller ouvrages de Lachaud. Me souviens procès d'une jeune fille...

« Ah ! et puis, surtout, la formation du jury, hein ? Tâche particulièrement délicate: caractère très spécial de l'assassinat et personnalité mystérieuse de Langlet. »

Insensiblement, Georges Lebrun en était venu à penser, non plus au client quelconque, non plus à l'artisan involontaire de son succès, non plus à l'individu qui avait violé ouvertement tel article du code pénal, mais à l'homme de chair et de sang, dont les yeux avaient dû émouvoir d'autres yeux, dont le sourire avait dû illuminer d'autres visages et que des femmes avaient sans doute caressé en prononçant tout bas son nom. Il évoqua avec émotion cet être humain dont toute la destinée reposait maintenant entre ses mains à lui, dont toute la destinée dépendait peut-être de son intelligence à lui, de sa volonté à lui, de sa culture à lui, de son cœur à lui. Toute la destinée ! Mon Dieu ! pourquoi ne pas employer le mot vrai, le mot juste, le mot unique, le mot immense: toute la vie ! Et Georges Lebrun, sans le dire, haussa sa pensée à un niveau plus universellement humain.

Ce jeune homme qu'il avait vu, ce soir, pour la première fois, évidemment, c'était un criminel, aux sens juridique et social du mot. Mais d'abord, c'était un homme ! Un homme qui, à cette heure, devait avoir atrocement peur. Un homme qui devait éponger sur son front des sueurs froides. Un homme qui avait sûrement perdu l'appétit et dont les genoux tremblaient sans doute d'épouvante. Un homme dont le sang brûlait peut-être de tous les vices des ancêtres dont il était issu, héritage terrible qu'il n'avait pas été libre d'accepter ou de refuser, mais qui lui avait été imposé avec la vie. Oh ! le problème de la liberté ! La justice et l'homme...

Ce n'était pourtant pas un sentimental que Georges Lebrun, homme méthodique qui avait toujours froidement calculé la portée de ses actes et leur utilité future. Mais ce soir, il éprouvait plus que de la sympathie à l'endroit du jeune criminel dont les traits l'avaient frappé. A sa joie d'avoir été choisi pour défendre l'assassin se mêlait un remords que cette joie fût faite de la détresse d'un homme. Et sa volonté se tendit à se rompre vers l'acquittement de son client. « Je m'attendris comme une jeune communiante », songea-t-il. Mais il n'eut pas honte.

Pour la première fois de sa vie, il se sentait solidaire d'un autre être, et trouvait lumineuses les expressions « communion humaine » et « sacerdoce de l'avocat ». Pour la première fois, il touchait à la réalité concrète de la responsabilité humaine. La justice et l'homme... Souvent, on avait dit autour de lui: « Chacun fait sa vie comme il l'entend ! » Et voilà que, pour la première fois, il percevait pleinement toute la fausseté, toute l'inhumanité d'une telle philosophie.

« L'homme ne vit pas seul: directement ou indirectement, il influence un grand nombre de vies, il les modèle à son exemple. Il existe une responsabilité de l'homme. Oui ! Et il existe aussi une responsabilité du chrétien. » Chrétien ! Il fut surpris d'entendre ce mot résonner dans son esprit. « Chrétien... La justice et l'homme. Un chrétien ne peut se désolidariser des autres hommes. Un égoïste n'est pas chrétien. Un chrétien doit penser à tous les hommes. Un chrétien ne peut accepter une injustice, peu importe la situation et le mérite de celui qui la commet, ou l'insignifiance de la victime. Un chrétien doit s'employer à sauver ses frères, par l'immensité de son amour... »

Georges Lebrun éprouva un indéfinissable malaise. Il pensa: « Ame pieuse... marguillier... bigot... » Et il sourit gauchement, comme pris en défaut. « Je suis ridicule, qu'est-ce que toutes ces histoires viennent faire dans la cause qui me préoccupe en ce moment ? J'ai un meurtrier à sauver de la corde, c'est tout ! Je m'en moque de leur responsabilité du chrétien !

« ... un chrétien doit penser aux hommes. Un chrétien doit aider ses frères... Moi Lebrun, je suis chrétien, et ce que je m'en fous, n'est-ce pas, des autres hommes ! Alors ? Quoi ? Je ne suis pas un vrai chrétien ? En quoi, moi Lebrun, suis-je différent de Vallée qui est agnostique ? Rien ne nous différencie. Nous menons la même vie, nous affrontons les mêmes problèmes. Je pense parfois à la vie éternelle, lorsque j'ai perdu la grâce. C'est tout. Alors ? Je ne suis pas conséquent ? Loin de moi la prétention de me croire meilleur que Vallée, ce serait tout de même trop bête ! Mais au fait, qu'ai-je donné aux hommes, que Vallée ne leur a pas donné, moi qui me prétends riche de la parole du Christ, moi qui, effectivement, suis riche de l'enseignement du Christ, des mérites du Christ ?

« Un chrétien doit aimer les hommes... Et les aimer pour leur faire du bien ! Qui, autour de moi, se préoccupe de cette loi ? Personne ! On condamne le communisme, mais que fait-on pour soulager la détresse des hommes ? Presque tous mes collègues du Barreau sont farouchement antisémites. Comment peuvent-ils être à la fois chrétiens et antisémites ? Bien des hommes de ma ville se haïssent, trahissent la parole donnée, volent des situations, trichent, se livrent avec délices aux spéculations du marché noir, refusent d'admettre des enfants dans leurs logements, et ils sont tous chrétiens ! Ma ville n'est peuplée que de catholiques. Y trouve-t-on plus d'amour, plus de charité qu'ailleurs ? Les chefs d'industries sont-ils plus justes envers leurs ouvriers ? La justice ! Ah ! les intrigues épouvantables autour des procès ! Et les faux serments à pleine gueule ! Faillite du christianisme dans les vies. Alors, quoi, rien ne va plus ? Et puis, ne pas juger ! Ne jamais juger ! Sur quoi nous basons-nous pour juger ? Sur ce que nous voyons ? Sur ce que nous savons ? Que voyons-nous ? Que savons-nous ? Des approximations, au delà des apparences règne la vérité inaccessible. Alors, nous taire puisque nous ne savons pas, puisque nous ne savons jamais. Mais aimer. Aucun risque d'erreur dans l'amour chrétien. Mais les hommes n'aiment pas. Et c'est là qu'éclate la faillite du christianisme. Non ! pas la faillite du christianisme, mais la faillite des hommes qui ont trahi le christianisme. D'ailleurs, qui s'intéresse au règne du Christ, cet étranger ?

« Langlet, tu ne sauras jamais où tu m'as entraîné, ce soir. J'avance dans un pays inconnu où aucun visage ne m'est familier. Je ne reconnais même pas le mien... Ah ! rien de tout ça ne changera sans doute ma vie, mais tu m'as tout de même fait penser au Christ, toi l'assassin, comme jamais je n'y ai pensé.

« Lui, l'assassin... Non, il n'a pas une tête de tueur, ce jeune homme. Une tête étrange, d'accord, un regard comme on n'en croise pas souvent, quelque chose d'indéfinissable et qui frôle les confins des rêves de notre enfan-

ce, de la pureté absolue d'avant le péché...
Mais qu'a donc fait surgir dans mon âme le
regard de ces yeux, des yeux troublants, des
yeux comme d'un autre monde. Il faut que
je le sauve !

« Considérer que la Justice a des droits
immuables, mais tenter de découvrir tous les
éléments humains pour que justice soit rendue
dans ce cas particulier. Le jury ! La formation
du jury ! Tout est là ! L'idée de l'Homme ! La
compréhension de l'Homme ! Ne retenir que
les hommes qui me paraîtront sensibles à cette
idée et à cette compréhension. Et à ces hommes, faire rendre justice, en dépit du Droit ! »

Georges Lebrun était exténué. La tête lui
bourdonnait. Les mêmes grands mots reve-
naient sans cesse et tournaient en rond. Son
sommeil fut agité. Les imaginations folles qui
l'avaient empêché de s'endormir avant trois
heures continuèrent de le harceler toute la
nuit. Il voyait des toges innombrables danser
devant ses yeux. Et des témoins qui tous
tournaient un visage mauvais vers l'accusé.
Et l'émotion qui le faisait bégayer et le privait

de tous ses moyens. Et douze jurés qui, d'une seule voix, hurlaient: « Coupable ! » Et l'éternité, qu'il palpait. Et l'échafaud qui, surgissant de l'horizon, descendait à une vitesse vertigineuse, descendait encore, descendait toujours, fondait sur lui, allait l'écraser ! Il voulut faire un pas pour l'éviter. Il s'éveilla.

Sa femme lui apprit qu'il avait parlé toute la nuit.

X

La serveuse

Ma chère maman,

(...) Et puis, il faut que je te dise, j'allais l'oublier. Tu sais, l'homme qui a tué une femme dans un hôtel, la semaine dernière, tu as dû lire ça dans *La Presse,* je le connaissais très bien, moi. Il mangeait à mon restaurant tous les midis depuis à peu près un an, je pense. Je ne sais pas au juste, parce qu'il venait déjà ici quand je suis arrivée. C'est drôle à dire, mais on a toutes eu de la peine en apprenant son malheur. La caissière aussi, et tu sais qu'elle n'est pas des plus aimables.

Cet homme-là, un monsieur Langlet, il était toujours correct à table, bien poli, mais pas plus, et puis, il ne passait pas son temps à essayer de nous frôler comme plusieurs font. Tu dois bien te douter, chère maman, qu'une fille qui veut faire la folle dans une grande ville, c'est facile. Surtout dans notre position, on en reçoit des offres pour aller passer des soirées dans des chambres d'hôtels ou des week-ends en dehors. Si on voulait, on en ferait de l'argent, et facilement, par-dessus le marché. Je t'assure que dans mon idée, les hommes ne valent pas cher ! En tout cas, celui qui va me marier, je te promets que je vais te l'examiner soigneusement avant. Pour en revenir à mon histoire, j'en parlais avec les autres filles à midi, et puis on se faisait la remarque que monsieur Langlet c'était toujours bien un des rares clients qui ne nous a jamais fait d'avances déplacées. Tu comprends ce que je veux dire ?

J'espère bien ne pas te scandaliser en te racontant ça. Je suis si énervée ! Tu peux être tranquille: jamais un homme ne me touchera avant le mariage. D'ailleurs, j'ai toujours ma chambre au Foyer et la directrice est à cheval sur les règlements. Tu trouves peut-être surprenant que je te parle tant de la distinction de cet homme-là. Si tu était à ma place, tu l'aurais remarquée, toi aussi, c'est si rare. J'ai bien hâte au procès. Je vais le suivre dans les journaux. Bonjour à tout le monde. Mon plus gros beau bec à toi, petite maman que j'adore.

Jeanine.

P.-S. Et puis, surtout, ne t'inquiète pas pour moi. Je suis bien sage.

XI

Les bons amis

— Voulez-vous que je vous dise, messieurs, ce que je pense de vous tous ? Vous êtes des salauds ! Quant à vous, mesdames, votre attitude est inconcevable ! On pourrait espérer un peu plus de compréhension ou de pitié de votre part !

Cette explosion subite de colère pétrifia les amis réunis au salon des Mainguy. Ils se regardaient, ahuris, sans rien comprendre à cette scène. Celui qui venait de parler était blême. L'atmosphère devenait irrespirable. Le silence s'épaississait, gluant, et personne n'osait s'en dépêtrer.

— J'imaginais bien, reprit Jean Sicotte, les calomnies atroces et bêtes que, dans toute la ville, on doit dégoiser sur le compte de Langlet. Mon Dieu ! on ne peut s'attendre à une autre attitude de la part de parfaits étrangers ! Mais depuis un quart d'heure, je vous vois, vous, ses amis, rire et vous taper les cuisses et vous, mesdames, pousser de petites exclamations faussement scandalisées qui masquent mal le plaisir que vous prenez aux propos odieux de Tessier. Pendant des années, vous avez laissé entendre que Langlet était un de vos bons amis; en de multiples occasions, vous l'avez reçu chez vous; vous aimiez son originalité, sa sincérité, sa droiture, ce qu'il avait, lui, dans le cœur et dans l'esprit que vous n'aurez jamais, vous. Et aujourd'hui, vous insultez à son malheur ! Aujourd'hui, un type qui s'est réclamé de cette même amitié, qui s'en est servi, — vous comprenez ce que je veux dire, Tessier ? Inutile de préciser ? — débite sur le compte de Jacques les pires mensonges; il crée de toutes pièces, dans sa tête féconde en inventions, des situations burlesques auxquelles il mêle le nom de Langlet; il raconte des histoires qui ne sont pas vraies et qu'au fond de vos cœurs vous savez n'être pas vraies: et quelle est votre réaction ? Vous riez, vous riez aux éclats, vous avez un plaisir fou, vous riez aux larmes, vous passez une bonne soirée, comme vous direz demain, et par vos rires vous encouragez cet individu sans cœur à parler encore, à imaginer encore, à mentir encore et de plus belle. Et pourquoi ? Parce que tout ce qu'il vous raconte, ces aventures qu'il prête à Langlet, elles vous donnent une petite sensation délicieuse de péché en vous mettant l'eau à la bouche, et que les petites sensations de péché, vous ne les détestez pas, parce que demain, dimanche, vous pourrez quand même aller communier. Si c'est ça l'amitié, eh bien ! merde alors !

Jean s'arrêta à bout de souffle. Le petit clan était consterné. Chacun y alla de sa protestation cordiale pour calmer l'ami par trop bouillant qui savait si peu observer les règles du jeu.

—Voyons donc, Jean, vous savez bien que Louis n'était pas sérieux !

— On sait bien que ce n'est pas vrai tout ce qu'il nous raconte, mais il raconte d'une façon tellement humoristique qu'on rit sans malice. Ne prenez pas la mouche !

— S'il n'y a plus moyen de rigoler sur le compte de ses amis, maintenant, c'est gai !

— Nous aimions bien Langlet et nous sommes peinés de ce qui lui arrive. Mais après tout, c'est bien possible qu'il ait eu certaines de ces petites aventures que Louis dramatise avec tant de verve pour nous. Pourquoi s'en scandaliser, c'est si humain ! Qui n'a pas eu ses petits oublis, hein, Jean ? Vous-même ne devez pas être pur comme un cygne !...

— Il ne s'agit pas de moi, pour le moment, mais de lui qui est mon ami et qui, paraît-il, était également le vôtre. Il s'agit de Jacques qui se débat dans un drame épouvantable et que vous trouvez le cœur de blaguer. Je vous le répète: vous me renversez !

— Vous ne savez donc plus rire, Jean ?

— Pas dans de telles circonstances, madame.

Jean Sicotte s'était un peu calmé. Quelqu'un lui posa une question à laquelle il ne répondit pas.

— Vous êtes dans la lune, Jean !

Il sursauta. — Non, je ne suis pas dans la lune. Je suis bien ici, avec vous tous. Et je pense, et je vais vous le dire bêtement, qu'il vaut beaucoup mieux, dans l'existence, n'avoir pas d'amis. On est certain, de la sorte, de n'être jamais trahi. Devant votre inexplicable façon d'agir, j'expérimente qu'il est bien vrai que l'on vit seul. Que, pour la plupart des gens, l'amitié n'est qu'un moyen élégant et commode de fuir la solitude. Et je songe que les bras d'une inconnue sont quelquefois moins trompeurs que certaines poignées de main ou que certaines effusions. Ils sont au moins sans lendemains, ces embrassements, et donc, sans trahison !

— Voilà qu'il broie du noir, maintenant ! Buvez, Jean, buvez, pour vous changer les idées. Buvez ! vous en avez besoin. Et nous aussi, d'ailleurs, parce que, si vous continuez sur ce ton, nous allons toutes nous essuyer les yeux dans dix minutes. Allons, Jean, un scotch ou un rye ?

Le jeune homme leva lentement les yeux sur son interlocutrice et la regarda fixement, sans desserrer les lèvres. L'autre perdit contenance et son sourire se figea. L'éclat de Sicotte au milieu de la fête avait visiblement rompu le charme.

— Au fond, dit enfin l'un des convives, Sicotte fait une tempête dans un verre d'eau. Les propos de Tessier, même s'ils sont faux, surtout s'ils sont faux, ne changent rien au caractère de Langlet et ne le diminuent d'aucune façon.

— Vous avez raison, cher ami, et je regrette la scène qui vient de se passer, et qui était vraiment déplacée dans une assemblée aussi distinguée que la vôtre. Que voulez-vous, je n'ai pas votre raffinement et je crains fort de ne l'acquérir jamais. Mais Langlet est mon ami, poursuivit Sicotte en haussant la voix, et je ne tolérerai pas que l'on daube sur son compte alors que le malheur s'est abattu sur lui.

— Nous n'étions tout de même pas ses intimes, nous. C'était un ami, mais pas un de nos meilleurs amis.

— Dans ce cas, madame, il faudrait prévenir les gens du moment exact où ils deviennent vos amis, vos vrais amis, vos meilleurs amis. Car si l'on se fie à vos marques d'affection, on pourra se tromper lourdement. Et puis, si pour vous l'amitié n'est qu'une transaction, quelque chose qui rapporte des dividendes, un moyen de vous mettre en relief et de faire remarquer votre présence grâce à ceux que vous accompagnez, déclarez-le, alors nous saurons à quoi nous en tenir ! Tessier a ridiculisé Jacques pendant quinze minutes. Qui d'entre vous a protesté ? Personne ! Non, personne n'a protesté. Façon étrange de manifester votre amitié ! Eh bien ! je vais vous en parler, moi, de Langlet !

« Je le connais, comme la plupart d'entre vous, depuis quinze ans. Nous ne nous sommes jamais quittés. Nous avons étudié ensemble, nous avons grandi ensemble. Plus tard, nous avons essayé de penser côte à côte, de déchiffrer le monde, de comprendre le monde. Jusqu'à mon départ de la ville, l'an dernier, nous nous sommes vus deux ou trois fois par mois. Lorsque le cœur nous en disait, nous allions faire de grandes promenades dans la campagne. Nous parlions ou nous nous taisions. Nous en étions arrivés à ce degré d'amitié où les convenances, telles que vous les comprenez, telles que vous les pratiquez, ne servent plus de barrières entre les esprits. Remarquez, je n'en tire aucune vanité. Non ! Je n'en tire aucune vanité, répétat-t-il comme se parlant à lui-même. Mais il est des moments dans la vie où il faut rendre témoignage aux hommes auxquels on croit. Aujourd'hui, je le dois.

« J'estime être le seul à bien connaître Jacques. Vous autres, vous n'avez pas la moindre idée de ce qu'il est. Vous lui reprochiez son isolement. Vous êtes-vous déjà donné la peine de vaincre sa timidité ? Je vous surprends en parlant de timidité ? Evidemment, après l'avoir fréquenté dix ou quinze ans, vous n'aviez pas eu le loisir de remarquer cet aspect de son caractère !

« Langlet aimait passionnément le monde. Alors que pour vous, mesdames, la mer, par exemple, signifie week-ends, mentions dans le carnet social, occasions de froufrouter en toilettes et d'accrocher le regard des hommes, et pour vous, messieurs, prétextes à beuveries, pour lui, la mer était un sujet de ravissement, de joie profonde, d'oubli. Il parlait amoureusement des feuilles, des ruisseaux, des bois, de l'océan et de leur place dans la vie d'un homme. Il se remémorait la qualité du parfum du sol et en recréait pour son interlocuteur jusqu'à la saveur, la couleur et la richesse.

« Vous autres, vous ne regardez même pas le firmament. Lui, il priait devant un nuage dont il imaginait et traçait les randonnées célestes. Il comprenait la création, il l'aimait, il savait en déceler toute la splendeur, toute la signification et, par cette communion intense, il s'élevait jusqu'à la charité de Dieu.

« Vous autres, vous aimez la musique parce qu'elle vous permet d'épater les gens par les pseudo-connaissances techniques que vous affichez au concert. Lui l'aimait, pour son chant. Si vous le croisiez dans la rue et que peut-être il ne répondît pas à votre salut, c'est qu'il était perdu dans la mélodie d'un quintette de Mozart ou qu'il poursuivait dans sa tête le rondo de la Neuvième. L'émerveillement que lui procurait Mozart ! Je vous parlais couleur, j'aurais dû dire lumière, car il croyait à la lumière, il la recherchait, il en vivait. La lumière de Mozart lui donnait la joie. Eh bien ! quand vous en a-t-il parlé ? Jamais, n'est-ce pas ? Vous ne soupçonniez pas l'importance que pouvait avoir la musique dans sa vie. Et si j'ajoutais que Langlet savait Baudelaire par cœur, et Rimbaud aussi, et Verlaine, vous ouvririez les yeux, comme en ce moment. Vous autres, vous aimez la poésie lorsque vous êtes amoureux. Vous autres, vous parlez poésie et littérature pour poser aux intellectuels. Lui, n'en parlait jamais. Il prétendait que les vraies amours sont secrètes. Vous n'êtes pas tenus de partager son opinion, mais reconnaissez au moins qu'elle n'est pas commune. Il avait une pudeur de tous ses sentiments. Il disait que si l'on peut vivre avec les morts, il n'est pas permis d'en faire état.

« On a affirmé parfois, et peut-être l'avez-vous pensé vous-mêmes, qu'il se dégoûtait de la vie. C'est ridicule, c'est faux, c'est bête ! Si l'on avait dit: une certaine forme de vie, une manière fausse de vivre sa vie, voilà qui aurait été vrai. Il détestait la vie mensongère telle que l'a édifiée une société qui ne tient pas à voir la vérité en face, qui ne veut même pas la regarder du tout, qui refuse simplement de l'admettre. C'est pour cette raison qu'il abhorrait de serrer des mains qu'il méprisait. C'est pour cela qu'il réagissait violemment devant le triomphe de certains hommes dont il savait, comme vous tous d'ailleurs, qu'ils sont des monstres d'injustice. Il ne croyait plus, depuis longtemps, à la signification des décorations. Pas même des chevaleries, les laïques... et les autres.

« Il avait rêvé de mettre sa plume au service de l'Église et de doter notre ville d'un journal catholique et intelligent. Il avait groupé des collaborateurs qui partageaient sa foi et son désir de servir une cause sacrée, la seule, disait-il, qui vaille la peine qu'on se batte. J'ai l'impression très nette que c'est fête, aujourd'hui, au *Bon Combat* où l'on avait eu vent de ses démarches et où l'on réussit à les faire avorter. On y célèbre sans doute la revanche ! On doit se dire que le drame de Langlet prouve l'existence de Dieu et la mission divine de la « boîte » qui escamote les passages jugés trop hardis des lettres papales parce qu'ils condamnent implicitement les courtes vues de ce journal.

« On l'accusait encore d'être distant, hautain. Hautain ? Non ! Distant ? D'accord ! Et puis, après ? Faut-il se promener dans les rues, un conventionnel sourire sur les lèvres ? Faut-il témoigner de la sympathie à des individus qui n'en inspirent pas ? Je vous demande un peu !

« Mais il est un reproche beaucoup plus sérieux qu'on lui adressait, en son absence, évidemment ! On blâmait sa sensibilité qui n'était pas d'un homme, disait-on. C'est vrai qu'en entrant dans la vie, celui-là n'avait pas enfermé son cœur dans une armure. Plus souvent qu'à son tour, il y avait mal, ce pauvre Jacques. Et Dieu sait si un cœur sensible s'écorche aux aspérités de la vie ! Il s'apitoyait sur le sort d'inconnus, tout simplement parce qu'ils étaient des humains et que lui croyait intensément à la communion universelle. Le distant ! Il avait tort de ne pas se contenter des conventions établies, et de prétendre à toucher directement les âmes, ce que les hommes n'admettent pas. Un jour, nous avons croisé un corbillard derrière lequel marchait seul un officier de marine. Il me plaqua là et accompagna le mort jusqu'à l'église. Moi, je n'en aurais même pas eu la pensée. Vous non plus.

« L'an dernier, il a pleuré sur le cercueil d'un ami. On lui a reproché ses larmes. On a dit à peu près ceci: ou bien il joue la comédie, ou bien il est sincère. S'il joue la comédie, c'est un être méprisable, abject; s'il est sincère, c'est un faible, parce qu'un homme ne pleure pas. De toute façon on le condamnait. Dites-moi, vous autres, qui a décrété qu'un homme ne doit pas pleurer ? Sûrement pas Celui qui a pleuré sur son ami Lazare, et qui n'était tout de même pas un faible ! Heureux les gens qui ne recherchent pas d'oasis dans le désert de leur cœur !

« J'admets qu'il avait parfois des attitudes choquantes. Ainsi, il fit souvent du mal à celles qu'il adorait. Ses victimes étaient bien excusables d'ignorer la constance et l'intensité de son amour. Ce qu'il souffrait de son incapacité à traduire sa tendresse d'une façon exacte, évidente, qui eût exprimé sans réticence le tréfonds de son cœur ! Son hypersensibilité le faisait bafouiller lamentablement alors qu'il composait si distinctement les plus beaux aveux, les plus émouvants. Le frère spirituel du Grand Meaulnes, je vous dis ! Il avait un besoin fou d'affection et de tendresse féminines, mais ne parvenait jamais à livrer sa présence intérieure. Jacques, toute sa vie, a enduré le supplice de l'emmuré. Et s'il réussissait, après maintes tentatives, à entrebâiller la porte de sa prison, ou si l'autre s'approchait de ses barreaux, brusquement, d'un geste maladroit, malheureux, avec un sourire blanc qu'il ne voulait pas ou un regard qui n'était pas de lui, il s'isolait farouchement.

« Il ne croyait pas qu'on pouvait l'aimer, lui; il n'imaginait pas qu'une femme pût vivre de lui et pour lui. Il avait une vocation à la souffrance jointe à un appétit maladif de perfection.

— Je vous ennuie peut-être ? Je vous fais grâce du reste.

— Non ! non ! continuez ! Vous voyez comme on vous écoute !

« Jacques croyait au bonheur des autres, et il se prenait parfois à envier de pauvres petits plaisirs minables que, d'autre part, son exigence lui faisait mépriser. Lorsqu'il regardait autour de lui et qu'il imaginait les trahisons de tant d'époux, la vie ennuyée de tant de ménages, lorsqu'il entendait la rumeur plaintive s'élevant des lits d'hôpitaux, il communiait intensément à la souffrance universelle. Il croyait au bonheur, mais il voyait la souffrance. Il se scandalisait des mensonges, des intérêts, des calculs, des incompréhensions qui corrompent les plus beaux sentiments. Non ! Il ne croyait pas beaucoup à l'humanité.

« Je vous raconte ces choses pour que vous le connaissiez un peu mieux, pour que vous puissiez le défendre, surtout si, par hasard, on le calomniait devant vous. Je vous répète que son visage ne trahissait aucune de ses pensées, aucune de ses inquiétudes les plus poignantes. Vous n'avez pas su le regarder. C'est pour cela que vous n'avez pas su le comprendre. Le grand drame des humains, c'est bien leur impuissance à regarder au delà des visages. Tous les isolements, tous les heurts, tous les conflits, toutes les séparations proviennent de cette imperméabilité des âmes. Et toutes les faillites, aussi.

« Jacques traînait une existence aux appétits insatiables. Il était égaré dans ce siècle, dans cet univers trop inférieur à ses aspirations. Nul ne s'arrêtait au tragique de ses yeux, de son silence. Vous-mêmes, disiez simplement: « C'est un taciturne. » Vous ne cherchiez pas d'autres explications. C'est tellement plus facile, n'est-ce pas, de résoudre tous les problèmes en les trouvant tout naturels. Cela dispense de s'user l'imagination. Et son propre cœur, va-t-on risquer qu'il souffre à son tour ? Va-t-on l'obliger à battre à un rythme accéléré ? Non, tout de même, on est heureux comme ça, ne bougeons pas !

« Jacques fixait toujours l'avenir avec l'espoir secret de découvrir, ne fut-ce qu'imperceptiblement à l'horizon, une raison de croire. Cette raison toute temporelle, il ne sut pas l'apercevoir. Et puis, il gardait profondément enfouie en lui une souffrance toujours présente et toujours lancinante. La mort de sa sœur survenue il y a dix ans continuait de le hanter. Elle était sa grande amie, la compagne bienveillante et douce qui savait calmer les angoisses, les doutes, les affolements et les désespoirs de son adolescence. Elle seule aurait su lui redonner la paix, l'unique bien qu'il désirât si ardemment mais dont la possession n'était qu'un idéal rendu chimérique par son inaptitude au bonheur. Il n'a pu rétablir un équilibre définitivement rompu. Rien n'y fera jamais, je crois...

« Son geste de l'autre soir, je ne puis me l'expliquer. Mais vous non plus n'en savez pas les motifs ! Alors, ne le jugez pas, je vous en supplie ! Et dites-vous donc que ce tragique cas de conscience échappe à votre compréhension. »

— En tout cas, si je n'avais pas blagué, crâna Tessier, nous n'aurions pas enfin su que Langlet est une si belle âme !

XII

Le père

Il porte son éternel complet brun. Sa tête est blanche, son front, vaste, ses mains, belles, son dos, un tout petit peu voûté.

Aujourd'hui, comme tous les autres jours, il a vaqué à ses occupations. Il a serré des mains, donné des ordres, dicté des lettres, réprimandé un retardataire, discuté des projets, sans remarquer ou sans feindre de voir l'interrogation sur certains visages et la pitié sur d'autres.

Il ne veut, il n'acceptera, il ne tolérera aucune pitié. Oh ! évidemment, il doit faire effort pour ramener à lui sa pensée qui dérive toujours vers son fils. Un poids effroyable lui comprime le cœur, mais cette souffrance, il ne la partagera pas, il ne l'avouera pas, il n'admettra surtout pas qu'elle le distraie de son devoir quotidien.

Il a traversé de pénibles années. Enfin délivré des vieilles dettes, il pouvait accorder aux siens un peu de ce luxe dont ils avaient oublié la douceur. Et voici qu'il faudra encore s'abrutir de travail pour chasser cette nouvelle obsession.

A six heures, il est enfin seul. Il repasse sa journée, la pitoyable comédie qu'il a dû jouer, qu'il a jouée honnêtement, il le sait, puisque tous, comme lui, ont bien voulu entrer dans le jeu. Et il songe à sa femme qui l'attend, coquette, et sur qui il reconnaîtra le parfum d'autrefois, lorsqu'il lui apportait, chaque mois, une minuscule bouteille d'Houbigant. Elle aussi, elle crâne. Il sourit d'attendrissement. Mais le sourire s'efface devant une seconde image qui s'est brusquement substituée à la première.

Le veilleur de nuit qui commençait sa ronde a doucement refermé la porte en disant un respectueux: oh ! pardon ! Et il est reparti en branlant la tête. Et demain, tout le monde saura dans l'édifice que: « monsieur Langlet, hier soir, eh bien ! monsieur Langlet, il parlait tout seul. Comme ce malheur l'a frappé, hein ! » Mais personne n'imaginera ce qu'il disait.

« Non ! Mais ce n'est tout de même pas possible que nos actes nous suivent avec cette précision inexorable ! Nos actes, d'accord, mais pas nos pensées, pas nos tentations, pas nos hantises, grand Dieu ! Absolument les mêmes circonstances ! Peut-être aussi le même drame dans le cœur ! Qu'est-ce qui m'avait empêché, moi, d'aller jusqu'au terme de mon obsession, jusqu'au bout de ma rage, jusqu'à la limite de mon dégoût ? Qu'est-ce qui m'avait retenu, moi ? Oh ! l'étourdissement terrible dont je me suis réveillé à deux doigts du meurtre ! L'écœurement monstrueux ! Son drame serait-il donc le dénouement fatal du mien ? Le cœur de l'honnête homme peut-il, si vite, oublier sa vertu ? Jamais je n'ai parlé de cette nuit-là à personne. Si, au moins, d'autres hommes étaient passés par les mêmes chemins ! Si au moins...

« Elle était toujours là, la femme. J'avais eu un haut-le-cœur parce qu'elle s'offrait encore. Repu, moi, la vision brutale de nos étreintes m'horrifiait. Et ce couteau de chasse accroché au mur du chalet, ce couteau qui m'attirait, qui m'affolait. Et les trois pas qui m'en séparaient. Et les deux que je fis. Et le bras que j'allongeai. Et le cri de l'autre. Un cri horrifiant, un cri infernal, un hurlement à la mort. Oh ! cette nuit ! Jamais je ne l'oublierai ! Est-ce là le drame de mon fils ? Pauvre petit ! Se peut-il que nous charriions tous dans notre sang cette fatalité ? Cet attrait irrésistible et cette répulsion plus violente encore ? Aurait-il achevé le geste que j'ai ébauché ? Y a-t-il un lien entre nos deux pensées ? Entre nos deux cœurs ? Moi qui, depuis ce jour, ai vécu attentif à fuir le mal, moi qui ai voulu éloigner de mon fils tout ce qui pouvait troubler sa pureté, je suis encore étouffé dans cette chair immonde ! L'acte d'aujourd'hui découlerait-il de la pensée d'autrefois ? Est-il de moi ?

« J'ai veillé sur mon fils, sur son âme, mais je dois bien avouer qu'il fut toujours une énigme pour moi, comme aussi, je fus toujours un étranger pour lui. Mais c'était à moi de créer cette intimité entre nous. C'était à moi, et je n'y ai pas songé. J'ouvre les yeux trop tard. Une fois de plus, je comprends trop tard ! J'aurai passé ma vie à comprendre les hommes trop tard...

« Que n'ai-je été un ami pour Jacques ! Pour commencer, il aurait dû me tutoyer. Ce grand « vous » nous a toujours séparés. Du moins, il ne nous a pas unis. Je ne savais pas lui parler. Je ne savais pas me mettre à sa portée et retrouver moi-même mon âme d'autrefois pour le comprendre. C'est peut-être le premier devoir d'un père que de retrouver successivement son âme de douze, de quinze, de dix-huit et de vingt-deux ans. J'y ai failli lamentablement. Et Jacques a grandi tout seul. Oh ! je l'ai bien élevé, je lui ai toujours donné le bon exemple, mon erreur, il ne l'a jamais soupçonnée; je lui ai procuré tout ce qu'exigeaient sa croissance physique, son enrichissement intellectuel, sa formation morale. Mais, je le vois aujourd'hui, je n'ai pas su créer cette atmosphère de cordialité, ce climat propice aux confidences, dont il avait sûrement besoin. J'ai souffert de cette sécheresse lorsque j'étais adolescent, et j'ai été trop bête ou trop timide pour en préserver mon fils. Quelle terrible solitude que celle des adolescents ! Quel feu interne les consume, que nous avons oublié et dont nous ne nous préoccupons pas ! Ils sont plus seuls, perdus dans leur âge, que l'aviateur, dans le ciel. Leurs problèmes les écrasent, ils ne peuvent les confier à personne, et ils ne possèdent pas les moyens de les résoudre. Que faut-il faire, mon Dieu ! pour être vraiment père ? C'est la première fois que je me pose cette question, et Jacques a vingt-trois ans !

« Il faudra tout expliquer à Lebrun. A Renault, aussi. Même l'histoire de la nuit ? Mon Dieu ! quelle terrible humiliation pour moi ! Je Vous l'offre pour lui. Dépouillez-moi de tout, si Vous l'exigez, mais sauvez mon Jacques ! C'est moi le vrai coupable ! Frappez-moi, couchez-moi dans un lit d'hôpital, si Vous le voulez, mais sauvez-le ! Sauvez-le !

Sauvez-le ! Je n'en puis plus, moi, mon Dieu !
Je n'en puis plus ! Je vais devenir fou !
Sauvez-le ! »

Lorsqu'il revint à la maison, sa femme lui
fut reconnaissante de son grand calme.

XIII

La mère

Elle seule demeure silencieuse. Elle seule
ne commente pas. Et pourtant, elle seule a
mal à en mourir. Il serait pourtant si naturel
qu'elle se lamentât et poussât des cris à fen-
dre l'âme et à bouleverser les voisins et vous-
même. Oh ! elle sanglotait bien le jour où
madame Picard la visita, mais elle s'est vite
ressaisie, parce que Pierre et René, les deux
orphelins qu'elle a adoptés, lui demandaient
sans cesse: « Pourquoi vous pleurez, maman ? » Alors, elle a songé au désarroi de son
mari et à sa promesse de toujours le soutenir,
de toujours l'encourager, de toujours l'aider.
Et elle a résolu, sans même se le dire, de
dépasser sa souffrance.

Ses yeux sont rouges, mais personne ne la voit pleurer, et elle ne pleure pas, non plus. Ses yeux sont rouges et son visage est émacié, parce qu'elle ne dort plus. Elle voudrait dormir, elle sait bien que ça ne peut durer longtemps ainsi, et elle fait de grands efforts pour que vienne le sommeil. Elle n'y réussit pas. Elle mange, à table, avec tous les autres, mais avaler lui fait plus de mal que la nourriture qu'elle prend ne lui fait de bien.

Lorsque René est revenu de l'école, hier soir, pleurant à chaudes larmes parce qu'on lui avait crié: « Va-t'en, ton frère a tué, papa l'a dit ! » c'est la maman qui l'a consolé. La gorge serrée, elle a essuyé les grosses larmes qui salissaient les joues du gamin, tout en lui rappelant qu'il était un homme, maintenant, et qu'un homme doit accepter, dans la vie, les injures, les outrages et les offenses. C'est elle encore qui lui a expliqué, avec les mots qu'il pouvait comprendre, la communion des humains. Dans la mesure où René aura de la peine et offrira cette peine au bon Dieu, dans cette même mesure, Jacques aura moins de chagrin dans son cœur. Et René a compris puisqu'il est retourné jouer avec ses petits camarades, bien décidé à ne pas se battre, et serrant très fort les mâchoires pour voir si c'était vrai que ça aidait à ne pas se fâcher, comme le lui avait dit sa maman.

La mère a encore le courage de sourire à Pierre qui ne comprend pas ce qu'il y a de changé dans la maison naguère si joyeuse, et pourquoi elle est toujours vide, la chambre de Jacques que l'on ne revoit plus.

La mère a retrouvé sa coquetterie des jours anciens. Chaque soir, vêtue d'une jolie robe claire, elle attend son mari, et chaque soir elle blottit sa tête contre l'épaule de l'homme, comme autrefois. En ses mains s'est réveillée la tendre chaleur de sa jeunesse pour caresser les cheveux blancs de son vieux compagnon. Et lorsque des larmes roulent dans les yeux du père pour en tarir la source, vite elle les embrasse.

La mère sait bien qu'elle n'a plus qu'une chose à faire en ce monde: c'est d'être forte pour toute la famille, mais sans le laisser paraître, parce que l'homme, n'est-ce pas, supporterait mal cela, lui qui se veut le plus courageux et le plus énergique. Elle accepte donc, avec simplicité, de jouer héroïquement son rôle anonyme. C'est cela être femme.

Mais le soir, lorsque tout le monde dort, la mère enfin peut penser éperdument à son fils. Elle pense à lui de toute son âme, de tout son corps. Elle ne s'applique pas à découvrir s'il est coupable ou non, ou à trouver une explication à son geste. Non ! Elle pense tout simplement à lui, elle souffre avec lui, elle a peur pour lui. Elle a affreusement mal à son enfant. Et elle se demande, anxieuse, si cette douleur ne la fera pas mourir, qui lui déchire le cœur. Elle ne veut pas mourir ! Parce qu'elle se dit que le malheur d'un homme, que la souffrance d'un homme, que la solitude d'un homme, que le désespoir d'un homme doit être tellement plus grand, tellement plus atroce, tellement plus intolérable lorsqu'il n'a plus sa mère.

A cause des marmots, à cause de son mari, mais surtout à cause de lui, son pauvre petit, elle veut vivre ! Jusqu'au jour où ils n'auront plus besoin d'elle. Alors, elle pourra partir. Et comme il lui tarde !

XIV

Le Père Brillart

Chère madame,

Un cœur broyé comme le vôtre n'attend plus rien des consolations terrestres. Aussi, n'est-ce pas une compassion humaine que j'offre à votre désarroi. Ne rejetez pas cette lettre: lisez-la jusqu'à la fin. Le Christ y a peut-être caché quelque inspiration capable d'adoucir votre peine, quelque raison surnaturelle qui donnera un sens mystérieux à votre douleur.

Au bas de ces lignes, vous lirez mon nom. Il n'évoquera à vos yeux aucun visage, il n'en laissera que mieux transparaître les traits de

Celui qui m'inspire de vous apporter sa consolation.

J'arrive de là-bas. J'ai vu Jacques, et je l'ai vu délivré. Oh ! les murs et les hommes ne lui permettent pas de jouir de cette liberté de mouvements qui paraît à notre pauvre nature le privilège ultime de l'indépendance. Mais Jacques ne souffre pas de cette privation. Bien mieux, il semble posséder quelque chose qu'il aurait longtemps recherché et que l'inconscience des hommes aurait jusqu'ici écarté de sa route. Nous frémissons souvent à la pensée que des pierres ou des gardes pourraient immobiliser nos démarches, borner notre horizon et nous obliger à n'être en face que de nous-mêmes. Votre fils, lui, a trouvé; il voit, il n'a plus peur de lui-même.

Vous imaginez peut-être assez mal comment votre Jacques en est arrivé à cette lucidité et à ce détachement ! Vous dirais-je que sa transfiguration ne m'a pas étonné ? Sur les chemins que j'ai parcourus, je n'ai jamais rencontré d'âme semblable à la sienne qui fût dotée de pareille délicatesse. Transfiguration ? C'est bien ce phénomène que mes yeux ont contemplé, comme si les dons de Jacques, jusque-là traîtreusement travestis par l'inquiétude et l'instabilité, étaient parvenus à affleurer à son visage maintenant illuminé de certitude et de sérénité.

Vous pensez que je veux vous bercer d'illusions ? Non ! Jacques aimait trop la vérité pour que je tente de tromper, même pieusement, celle qu'il chérissait plus que tout au monde. Ce que je vous dis n'est pas pour tromper votre douleur, ni pour essayer de répandre un baume sur vos déchirures, car, je sais, votre souffrance ne se dégagera jamais d'une certaine angoisse, vos supplices resteront toujours aussi sensibles qu'au jour que j'ose appeler mystérieusement providentiel. Mais, à la fine pointe de votre âme, vous pourrez comprendre ce que ma maladresse va essayer de vous expliquer.

En notre monde bassement matérialiste, Jacques a été une essence de lumière. Parmi les égoïsmes, il voulait diffuser sa générosité et sa noblesse. Mais le vase de plomb de

notre infecte société, — vraie prison parfois
— n'a pas toléré qu'il rayonnât. Voilà le
drame, que certaines grandes âmes soient
forcées de mépriser ou de haïr ceux qu'elles
devraient surélever dans l'estime et l'amour.
Et c'est encore une autre ironie tragique que
la haine et le mépris de ceux que voudrait
combler notre charité si leur cruauté ne nous
rendait impuissants à leur faire du bien.

Aux yeux myopes de la société, vous êtes
la mère d'un paria. Au regard de Dieu, je
vous atteste que votre fils est maintenant en
communion intense avec le Christ. Vous
penserez que j'exagère ! Hélas ! je mesure,
au contraire, mon incapacité à sonder l'abîme
de lumière où baigne l'âme de Jacques. Ici,
les jugements du monde ne peuvent plus nous
satisfaire. Les indifférents s'esclafferaient si
je leur disais que, ce qui s'est réellement joué
l'autre soir, c'est le drame de la pureté. Mais
vous, madame, vous comprendrez que si l'intrigue de cette tragédie a été charnelle, l'esprit
qui en a inspiré le dénouement est tout spirituel.

J'ai toujours admiré en Jacques un sens aigu et scrupuleux de la justice et de la pureté, pas de cette mesquine justice qui se contente d'équilibrer l'avoir et le devoir, pas de cette fausse pureté qui n'est que de la niaiserie, de l'ignorance ou de la vaine pudeur. A vingt-trois ans, il avait déjà frémi sous le choc des tentations qui s'attaquent aux hommes. Qu'il y ait succombé, ce n'est pas à nous de nous en scandaliser, laissons ce courage-là aux pharisiens. Ce que je sais, — pourquoi ne vous le dirais-je pas, puisque ce ne fut pas un secret entre Jacques et moi — c'est qu'il n'accepta jamais le péché, qu'il ne s'y installa jamais, qu'il ne lui donna jamais de nom séduisant, qu'il ne le couvrit jamais d'un masque souriant. Jacques a toujours refusé le mal. Il a toujours eu l'esprit de conversion. Et cela, madame, c'est de la plus pure humilité chrétienne. Et l'humilité nourrit toutes les vertus. Étrange vertu, diront les imbéciles et les faibles, que celle qui conduit à la luxure et au meurtre. Qu'ils triomphent ! Jacques a péché par la chair, il a tué ! Ce qui s'est passé, ce soir-là, pendant les heures où il s'enferma avec l'autre, nous pouvons l'imaginer aussi bien qu'eux. Mais si nous en frémissons, c'est sans colère, sans dégoût, en tout cas pas avec ce dégoût qui se donne des bons points. Victime de l'éternelle soif du bien et du mal, Jacques a voulu savoir. Mais tandis que les autres ne retenaient que la saveur du fruit défendu, lui, a violemment vomi cette nourriture empoisonnée. Il a su le mal, mais il n'a pas renié le bien. Plus encore, j'affirme qu'à cette minute précise où l'illusion fuyait honteusement devant l'horrible réalité, Jacques découvrit, dans une illumination soudaine, ce qu'est la pureté. Il la connut dans sa plus grande splendeur, alors qu'il l'obscurcissait dans sa chair. Et dans un déchirement affreux, il ressentit l'atroce désespoir de l'absence. L'espace d'un éclair, il entrevit un Visage qui se détournait de lui. La divine présence l'abandonnait. Il trembla dans le froid et l'obscurité du vide. Celui qui était plus lui-même que lui, n'habitait plus avec lui. Tout ce qu'il avait pu donner à un autre, le seul partage qu'il eût réussi avec une créature, c'était donc cette dérisoire imitation de la charité divine ? Ce furent à la fois cette connaissance et ce désespoir qui assaillirent l'âme de votre fils en cette minute crucifiante de sa vie. Il vit rouge, et il tua pour ôter de son regard, pour supprimer, pour anéantir à tout jamais l'instrument de cette connaissance et de ce désespoir. Le drame est là !

La loi naturelle et la loi divine condamnent un tel geste. Rien ne peut l'excuser. Mais la miséricorde de Dieu suscite souvent dans la faute même l'occasion de la rédemption. Il ne nous appartient pas de discuter les voies de la Providence, pas plus qu'il ne nous est possible de déterminer l'exacte culpabilité du pécheur. Rappelons-nous seulement avec quelle inlassable bienveillance le Christ accorde ses pardons aux pécheresses, pour ne réserver ses rigueurs qu'aux hypocrites. Il a exorcisé des pauvres corps le démon impur, mais si souvent il a abandonné les pharisiens à leur orgueil ! Que celui qui peut comprendre comprenne ! L'amour charnel est peut-être quelquefois une indigne caricature de la charité que Dieu éprouve pour Lui-même, mais sous de gros traits ridicules on peut encore deviner la perfection de l'original. Et c'est parce qu'Il se déchiffre alors sous notre barbouillage, que le Christ s'attendrit.

Maintenant, Jacques sait tout cela. Il le sait d'une expérience à la fois douloureuse et béatifiante. Cette persuasion intime qu'il possède d'avoir trouvé définitivement sa raison de vivre, sa raison de mourir, lui fera accepter les outrages et les injures dont l'accablera la société. Mais n'est-ce pas avec un visage tuméfié, ravagé par les larmes, qu'il aura plus de chances de ressembler à l'Homme des Douleurs ?

Je n'abandonnerai pas Jacques. Tous les jours je dirai la messe pour lui. Je prie le Christ et la Sainte Vierge pour vous, madame.

A vous en N.-S.,

Maurice Brillart, o.p.

XV

Regards

Depuis une demi-heure déjà, le train roulait. Une jeune fille au visage inquiet traversait les wagons. Elle dévisageait les voyageurs, les uns après les autres, sans trouver celui qu'elle cherchait.

Soudain, elle eut un léger mouvement de recul. Là-bas, au fond du dernier wagon, un homme à ses côtés, deux devant, c'est lui ! Ses genoux s'entrechoquèrent et elle dut, l'espace de quelques secondes, se cramponner au dossier d'un banc. Puis, oppressée, elle s'approcha à petits pas, hésitante, les mains glacées, les lèvres agitées d'un tic nerveux. Oui ! C'est bien lui ! C'est Jacques ! Les yeux sont affreusement creux. Les paupières sont closes, la tête appuyée est immobile. Elle se glisse à cette place d'où elle pourra le contempler tout son saoul. Trois bancs la séparent de lui. Elle le regarde de toute son âme.

Enfin, Jacques ouvrit les yeux. La verra-t-il ? La verra-t-il ? Elle est immobile, le corps projeté en avant. Ses yeux exorbités l'aspirent. La verra-t-il ? La regardera-t-il ?

Après avoir erré quelques secondes, les yeux de Jacques se posèrent sur elle. Elle y lut de la surprise, de l'égarement, de la curiosité et une immense détresse. Alors, elle lui sourit, d'un sourire tout intérieur qui montait du cœur et se composait presque sans l'aide d'aucun muscle. Lui ne bronchait pas. Pendant trois heures le lien ne fut interrompu que par les battements de leurs quatre paupières et par des hanches qui passaient rapides. Pendant trois heures, leurs regards se fondirent dans la plus étroite des communions. Au moment de descendre, il lui sourit enfin. Ce fut tout.

Saura-t-elle un jour, Marie-Ève, que pendant ces trois heures, Jacques avait gravé au plus profond de son cœur l'expression de son regard et qu'en entrant dans sa cellule, il allait en fixer au mur l'émouvante tendresse, comme un crucifix ?

Saura-t-elle jamais, cette femme, que Jacques n'allait plus vivre que de la lumière de ses yeux ? Car le jour où il n'en pourrait plus retrouver dans sa mémoire toute la chaleur, toute la vibration, tout l'amour, ce jour-là commencerait réellement sa vie de bagnard.

TABLE DES MATIÈRES

Achevé d'imprimer à Montréal, par Les Presses Elite
pour le compte des Éditions Fides,
le quinzième jour du mois d'octobre de l'an
mil neuf cent soixante-quatorze.